A HOMAGE TO
ALBERTO MORAVIA

Edited By: Rocco Capozzi
Mario Mignone

TOC

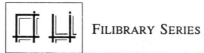 FILIBRARY SERIES

Michael Ricciardelli, General Editor

1. **Interpreting the Italian Renaissance: Literary Perspectives,** edited by Anthony Toscano

2. **Shearsmen of Sorts: Italian Poetry 1975 - 1993,** edited by Luigi Ballerini

3. **Writings on Twentieth Century Italian Literature,** by Michael Ricciardelli

4. **Columbus: Meeting of Cultures,** edited by Mario B. Mignone

5. **Homage to Moravia,** edited by Rocco Capozzi and Mario B. Mignone

Forthcoming Supplements

1. **Etica cristiana nella letteratura contemporanea italiana,** edited by Florinda M. Iannace

HOMAGE TO MORAVIA

Edited by
ROCCO CAPOZZI AND MARIO B. MIGNONE

FORUM ITALICUM   MORAVIA SUPPLEMENT

FILIBRARY No. 5   ISSN 0014-5858   1993

FILIBRARY   publishes the monographic
             supplements to *FORUM ITALICUM*

FILIBRARY   pubblica i supplementi
             monografici di FORUM ITALICUM

FILIBRARY   is the forum for prospective
             guest editors. Any inquiries
             or manuscripts should be sub-
             mitted to *FORUM ITALICUM*
             Center for Italian Studies
             State University of New York at Stony Brook
             Stony Brook, New York 11794-3359
             U.S.A.

CONTENTS

Preface

The plan for this homage to one of Italy's major contemporary writers began shortly after the author's death. When I proposed to Mario Mignone the possibility of publishing a special issue of *Forum italicum* in honor of Alberto Moravia, he replied that the journal had already received three articles on the author, and that the idea was good indeed. Shortly after, we agreed that it was better if we could compile a number of articles in one of the volumes of the "Filibrary" series. It was decided that we would collect articles from colleagues in North America and in Italy and that no special topics would be assigned. It was also agreed that we would accept material from both junior and senior scholars who were as enthousiastic as we were in commemorating the second anniversay of the author's death. To our surprise, not only did we receive articles and notes which did not duplicate topics discussed by others, but the material submitted covered a fairly large panorama of Moravia's literary production -- novels, short stories, journalism, criticism, and theatre. Equally important, as we had hoped, the articles we received focused on aspects of Moravia's works which had received relatively little attention in the past.

Throughout the years, from 1929 to 1990, Alberto Moravia's writings have either been praised or criticized, but they have never gone unnoticed. With practically every one of his publication, more than often, Moravia found himself at the center of polemics and debates. We would certainly agree that even in some works which cannot be considered at the same level as *Gli indifferenti*, *Agostino*, *Racconti romani*, *La ciociara*, and *La noia*, the author never ceased to fascinate his readers with his particular approach in narrating the condition of modern man. And even when he was openly (and intentionally) controversial --novels such as *Io e lui* and *La vita interiore* immediately come to mind-- it is difficult not to recognize his courage and his frankness in dealing with subjects that many considered a taboo.

One of the most common criticism directed against the author is the element of repetition which emerges so frequently throughout his work (and especially from the Sixties on). However, Moravia was fully aware of this factor, and he had often defended the rights of an author to return to his favorite themes, characters, plots, structures, and stories. In fact, in his case, from the early Sixties on, he chose to narrate repeatedly certain features of a bourgeois society that continues to lose sight of man "as an end" (that is: a society that accepts and even encourages the evils of consumerism at any cost).

Before and immediately after the so called neorealistic period --1930's to 1950's-- Moravia focused on a variety of difficulties, and crises, faced by both bourgeois and proletarian characters. However, from the Sixties on, as the author became disillusioned with "his own" myth of the working class, his characters and stories became rooted almost exclusively in bourgeois settings. In a majority of cases he chose to focus specifically on the condition of the intellectual who feels more and more helpless (to the point of becoming paralyzed) in front of a reality which he regards as cold, unfriendly, impenetrable and alienating. Thus, it is hardly surprising that Moravia should have chosen, repeatedly, the figure of the self-conscious "voyeur" (certainly the most fitting metaphor for his narrators) to represent the despairing condition of his favorite character: the modern intellectual.

Immediately after his death Enzo Siciliano and other Italian critics began to discuss whether or not Moravia was one of the greatest writer of our time. These debates will probably continue, on and off, for decades. Naturally, time will tell how many of his works will continue to be read in Italy and elsewhere. Nevertheless, as the contributors of this volume demonstrate, Alberto Moravia was not only a sharp and highly cultured observer of the society which surrounded him, but he was also an excellent interpreter of the artistic, literary and philosophical expressions through which writers and artists have tried to communicate for centuries.

P.S. The articles and notes are published in their original language. The sequence in which they appear follows the alphabetical order of their authors and thus it does not respect the chronological order of publications of Moravia's works. (R.C.)

Moravia nell'esistenzialismo italiano

Cristina Benussi

Il romanzo d'esordio di Moravia, *Gli indifferenti*, fin dal suo primo apparire, e nonostante fosse almeno parzialmente il frutto maturo di un'avanguardia attiva da qualche tempo,[1] recava i segni di un evento epocale: creò infatti scompiglio tra la critica, che avvertiva confusamente come sostanziasse in sé, al di là della originalità tecnicoespressiva, fermenti culturali largamente circolanti ma non ancora rappresi in una visione del mondo omogenea. Anche per questo le recensioni sembravano da una parte cercare una ragione che potesse spiegare la novità collegando il testo a filoni narrativi estranei alla tradizione italiana, e dall'altra obbedire a categorie estetiche inadeguate a render conto di una filosofia ancora in via di definizione teorica.[2] Tra le molte citazioni di scrittori europei veniva comunque fatto, da qualcuno, anche il nome di Dostoevskij: con il senno di poi, naturalmente, e partendo proprio da questo dato, la mia ipotesi è che Moravia abbia depositato nella storia del romanzo italiano un testo in cui si trovano non poche coincidenze con una gnoseologia già espressa da Dostoevskij in narrativa e da Kierkegaard in filosofia, e rielaborata, con sensibilità novecentesca, in quel giro di anni da Heidegger. Il 1929, anno di pubblicazione degli *Indifferenti*, segnerebbe infatti secondo me una fase nuova della storia letteraria italiana, ritmata poi, con modificazioni successive e puntualizzazioni più direttamente collocabili all'esistenzialismo, da non pochi tra gli scrittori che tra gli anni Trenta e Quaranta hanno iniziato la loro attività.

Il problema è evidentemente complesso, e in questa sede non posso che dare solo un cenno rapidissimo, ma mi si è posto riflettendo sulla mancanza, per il nostro secolo, di una periodizzazione letteraria che rimandi a una caratterizzazione culturale più generica: se, per riferirmi al passato più recente, possiamo parlare di illuminismo, romanticismo, positivismo, decadentismo, perché alle soglie del

Novecento il criterio di suddivisione epocale si fa storico? Tra l'età giolittiana o imperialismo e il periodo chiamato tra le due guerre o l'età del fascismo mi sembra che al di là di un mutamento politico, o storico, ci siano elementi in grado di permettere il riconoscimento di reti epistemologiche, seppur a maglie larghissime, abbastanza omogeneizzanti, pur nel rispetto, ovviamente, delle differenti reazioni dei singoli o dei gruppi. Può darsi che si tratti di ubbie nominalistiche, ma sentir parlare, per quanto riguarda il romanzo tra le due guerre (per la poesia il discorso è in certa misura diverso), di residui di decadentismo, avvio al realismo, sperimentalismo e così via dà l'impressione di trovarsi di fronte a un'epoca sospesa tra passato e futuro, o carente comunque di un'identità culturale che invece secondo me potrebbe possedere: certo Moravia, Buzzati, Brancati, Alvaro, Pavese, certo Vittorini e altri mi sembrano segnare un processo analogo a quello con cui l'esistenzialismo si è diffuso in Italia: prima come clima generico, poi, dopo la metà degli anni Trenta, come punto di riferimento molto preciso.

     Dunque, mi pare che tutti siano d'accordo nel parlare, per gli anni immediatamente successivi alla conclusione della grande guerra, di ritorno all'ordine, politico e culturale, dopo una fase di grande irrequietezza, politica e culturale: la dittatura fascista trova una produzione letteraria già predisposta al ripristino del genere romanzo, invocato da Borgese in *Tempo di edificare* come recupero di solide architetture narrative per riallacciare il discorso con l'Ottocento verghiano, e di una prosa, teorizzata dalla "Ronda," in cui la "modernità estrema" venga rivestita da un "abito antico" (Cardarelli). Ciò comporta anche la ricerca, dopo il relativismo primonovecentesco, di una serie di valori che durino.

     Infatti la crisi dei fondamenti epistemologici dell'Ottocento aveva rivoluzionato i modi di una produzione letteraria impossibilitata ad offrire certezze non solo conoscitive ma anche etiche, una volta abbandonata una prospettiva religiosa di stare nel mondo: Svevo, Pirandello, Gozzano sono infatti considerati gli esempi più avanzati di una autocoscienza negativa. La "ragione" positiva aveva fallito, come accusava il decadentismo italiano, e da parte sua il neoidealismo non era in grado di dare risposte capaci di riempire il vuoto venutosi a creare, perché considerava l'universale assorbendo in esso l'individuale nella sua singolarità irripetibile,invece di dare spazio all'esperienza concreta, intimamente vissuta dal singolo, non riducibile a mera logicità. Insomma, mi pare che il dato costante, da Ungaretti a Montale, da Tozzi a Moravia, sia la riflessione, piuttosto che sull'essere, sull'esser*ci*, inserito invece che in una filosofia della ragione in una filosofia della vita, dove l'individuo impegna veramente tutto se stesso e non soltanto il suo pensiero speculativo. Non è una novità, del resto, la segnalazione della presenza, anche in Italia, di un filone di pensiero che, partito in sordina nel primo decennio del secolo, si afferma macroscopicamente negli anni Trenta, e che suole chiamarsi Kierkegaard Renaissance: carente, da noi, di un paradigma filosofico omogeneo, è stato invece in qualche modo sistematizzato in ambito tedesco da Karl Barth nel suo *Commento della Epistola ai Romani* (1919). Secondo Remo Cantoni il filosofo danese è proprio l'antecedente immediato di Heidegger:

> Prima dell'analitica esistenziale Kierkegaard ha descritto l'itinerario della coscienza inquieta che si ritrae nella propria solitudine, fuggendo i rumori del mondo e le forme ai una esistenza non autentica, Il mondo heideggeriano della *Alltaolichkeit* (quotidianità), della *Durchschnittlichkeit* (dozzinalità), colle sue chiacchiere, le sue curiosità, le sue viltà anonime, i suoi alibi morali, le sue superficialità, è già, tutto, in Kierkegaard, e Heidegger non ha fatto che trascrivere il pensiero kierkegaardiano decapitandolo, togliendogli cioè il vertice religioso. E cosi pure il mondo sartriano della *malafede* è riattinto, attraverso la mediazione di Heidegger, da Kierkegaard, che di quella malafede era stato il critico più rigoroso e sincero. La libertà sartriana è la vita spirituale di Kierkegaard divenuta, con un abile escamotage, libertina e anarchica. I temi più cari all'esistenzialismo attuale: il nulla, l'angoscia, la disperazione, sono già tutti presenti, nell'ambivalenza dei loro significati, nell'esperienza religiosa di Kierkegaard.[3]

Ma Cantoni trova anche coincidenze tra Kierkegaard e Dostoevskij:

> Come Kierkegaard e Nietzsche, Dostojevskj è un difensore vigoroso della personalità contro ogni tentativo di dissolverla degradandola a semplice momento di un sistema razionale (...). La dialettica di Dostojevskj a quella esistenzialistica del salto. L'uomo è la creatura colpevole, viziosa, umiliata, è l'essere che il più delle volte soggiace alla tentazione ed è logorato dalla passione (...). L'uomo autentico non è l'uomo esteriore, della superficie, quella maschera che circola per il

mondo, ma l'uomo interiore, l'uomo del sottosuolo, che si cela agli altri e si rifugia nella propria tana.[4]

Dostoevskij non soltanto è uno degli autori più presenti alla cultura letteraria italiana, che su *Solaria* ne fa uno dei modelli del romanzo moderno, ma è uno degli scrittori più letti da Moravia, il quale eredita dalla nostra tradizione narrativa il cumulo di macerie che comprende l'insofferenza verso tutti i miti, di progresso collettivo e di benessere individuale: la ricerca di una vita autentica da contrapporsi alla superficialità esteriore del conformismo borghese ritma cosi l'angoscia e la noia del protagonista del suo primo romanzo. Michele e la sorella Carla ripropongono, a modo loro, la dialettica del salto e l'autenticità del "sottosuolo," anche se l'approdo non si avvicina a quello scelto da Kierkegaard e da Dostoevskij. Alla domanda di Enzo Siciliano: "Nonostante la tua ammirazione per Dostoevskij, hai scritto un romanzo che nella struttura e nella sua apparenza formale non ha niente di dostoevskijano," Moravia può rispondere: "Si. *Gli indifferenti* mi sembra un romanzo scritto sul nulla, a riguardarlo oggi."[5] Ed è evidente che la narrazione drammaticamente monologata dello scrittore russo sembra piuttosto lontana da quella moraviana, che rende attraverso una struttura quasi teatrale la commedia della vita quotidiana. Eppure, per fermarmi all'analisi dei due protagonisti, la debolezza di Michele Ardengo così come il piacere vizioso dell'auto-denigrazione, che non libera mai interamente dal rimorso, assomiglia non poco alla malattia dell'io narrante in *Memorie del sottosuolo*. Vediamo di procedere confrontando direttamente i due testi:

in ogni momento, perfino nel momento della più forte bile, ero vergognosamente conscio dentro di me che non solo non ero un uomo maligno, ma nemmeno inasprito, che non facevo che spaventare i passeri senza costrutto e con questo mi consolavo. Ho la bava alla bocca ma portatemi una qualunque pupattola, datemi un po' di tè con lo zucchero, e c'è il caso che mi calmi, che ne abbia perfino l'anima intenerita, anche se poi finirà di sicuro col digrignare i denti contro me stesso e col soffrire d'insonnia per vari mesi dalla vergogna. Tale è il mio costume.[6]

Michele, a sua volta, mentre sta per accusare Leo della loro rovina, si lascia da questo blandire con complimenti sulla sua eleganza:

"Buono... proprio buono." Ora, curvandosi, Leo palpava la
stoffa; poi si rialzò: "E bravo il nostro Michele disse bat-
tendogli la mano sul braccio; "sempre inappuntabile, non fa
che divertirsi e non ha pensieri di nessuna sorta." Allora dal
tono di queste parole e dal sorriso che le accompagnava,
Michele capì troppo tardi di essere stato astutamente lusingato
e in definitiva canzonato; dove erano l'indignazione, il
risentimento che aveva immaginato di provare in presenza del
suo nemico?[7]

Questa contrapposizione, tra progetto di riscatto dal proprio
essere schiacciato dalle regole di una vita inautentica e realtà della
propria incapacità a reagirvi fino in fondo, determina la malattia da cui
entrambi si sentono contagiati:

Vi giuro, signori, che aver coscienza di troppe cose una
malattia, una vera e propria malattia (...). Sarebbe sufficientis-
sima, per esempio, quella coscienza con cui vivono tutti i
cosi detti uomini immediati e d'azione.
In me la rabbia, sempre per effetto di queste maledette leggi
della coscienza, è sottoposta a una scomposizione chimica.
Guardi, e l'oggetto si volatilizza, le ragioni svaporano, il
colpevole non si trova, l'offesa non è più un'offesa ma il fato,
qualcosa del genere del mal di denti, di cui nessuno ha colpa,
e conseguentemente rimane sempre la medesima via d'uscita,
cioè farsi ben male picchiando la muraglia. Be', finisci col
rinunciare, perché non hai trovato la causa originaria. Ma
prova un po' a lasciarti trascinare dal tuo sentimento cieca-
mente, senza ragionarci su, senza nessuna causa originaria,
respingendo la coscienza almeno in quel momento, odia o
ama, pur di non restare a braccia conserte (Dostoevskij 8,
19).

Non esistevano per lui più fede, sincerità, tragicità, tutto
attraverso la sua noia gli appariva pietoso, ridicolo, falso; ma
capiva la difficoltà e i pericoli della sua situazione; bisognava
appassionarsi, agire, soffrire, vincere quella debolezza, quella
pietà, quella falsità, quel senso del ridicolo; bisognava essere
tragici e sinceri.
    "Come doveva esser bello il mondo" pensava con un
rimpianto ironico, Quando un marito tradito poteva gridare a

sua moglie: "Moglie scellerata paga con la vita il fio delle tue colpe" e, quel ch'è più forte, pensar tali parole, e poi avventarsi, ammazzare mogli, amanti, parenti e tutti quanti, e restare senza punizione e senza rimorso: quando al pensiero seguiva l'azione: "ti odio" e zac! un colpo di pugnale: ecco il nemico o l'amico steso a terra in una pozza di sangue; quando non si pensava tanto, e il primo impulso era sempre quello buono; quando la vita non era come ora ridicola, ma tragica, e si moriva veramente, e si uccideva, e si odiava, e si amava sul serio, e si versavano vere lacrime per vere sciagure, e tutti gli uomini erano fatti di carne ed ossa e attaccati alla realtà come alberi alla terra (Moravia 233-4).

Dostoevskij appartiene alla generazione di Kierkegaard, e con lui dava una testimonianza drammatica perché loro erano la scoperta della perdita, tra l'altro, della compattezza di una coscienza smembrata tra impulso e raziocinio e la denuncia della contraddizione dei momenti della vita interiore che non trova più suture tra sé e la società. Moravia invece, come chiarisce nel saggio "Ricordo de *Gli indifferenti*," non può avvertire la tragedia, cui ormai è assuefatto, ma solo prendere atto di vivere in un'epoca in cui ormai i valori non materiali sembrano non avere più diritto di esistenza e la coscienza si è incallita fino al punto in cui gli uomini, muovendosi per solo appetito, tendono a rassomigliare ad automi. E mette in azione proprio i termini entro cui Heidegger poco prima aveva collocato l'*esserci*, vale a dire la dialettica tra la *situazione* in cui ci troviamo ad essere *gettati* e il sentimento della *noia* e dell'indifferenza che non permette illusioni sulla possibilità di un mutamento: la tragedia ora per questo è inutile, o può solo essere spostata dai dati esterni, come l'uccisione dell'amante della madre e della sorella, a quelli interiori, come la sofferenza di Michele nel prendere atto della propria impotenza a provare sentimenti genuini. La famosa riflessione moraviana, appena riportata, arriva infatti alla fine di un percorso in cui i valori borghesi sono colti nella loro inautenticità, proprio come aveva scoperto l'ironico narratore dostoevskijano:

Infatti, voi, signori, per guanto mi è noto, tutta la vostra lista dei vantaggi umani l'avete desunta come media dalle statistiche e dalle formule della scienza economica. Infatti, i vostri vantaggi sono la prosperià, la ricchezza, la libertà, la tranquillità, e cosi via, e cosi via, sicché un uomo che, per

esempio, fosse andato palesemente e scientemente contro tutta
questa lista sarebbe secondo voi, be', naturalmente anche
secondo me, un oscurantista o un vero pazzo, non è cosi?
(Dostoevskij 22).

"Vediamo" pensava "si tratta della nostra esistenza...potremmo
da un momento all'altro non avere di che vivere material-
mente"; ma per quanti sforzi facesse questa rovina gli restava
estranea; era come vedere qualcheduno affogare, guardare e
non muovere un dito (Moravia 28).

Dostoevskij, alla fine di un lungo ragionamento, invoca come
unico vantaggio per l'uomo un volere "*indipendente*, qualunque cosa
costi questa indipendenza e a qualunque cosa conduca" (Dostoevskij
27); Moravia non crede più alla possibilità di uscire dalla *palude* (era
questo il titolo originario del romanzo) dell'inautentico, perché non
vede oltre il piano dell'immanenza. Così l'uomo del sottosuolo
addebita alla propria debolezza la propensione a rimandare continuamente il litigio quotidianamente progettato sulla prospettiva Nevsij: "Il
litigio, del resto, era nelle mie mani: bastava protestare e, naturalmente, mi avrebbero calato dalla finestra. Ma io mutai pensiero e
preferii... eclissarmi rabbiosamente" (Dostoevskij 52); Michele invece
non riesce a provare neppure rabbia: "Leo lo guardava, gli parve,
ironicamente, un sorriso appena percettibile fioriva sulle sue labbra
carnose; quel sorriso era ingiurioso; un uomo forte, un uomo normale
se ne sarebbe offeso e avrebbe protestato; lui invece no...lui con un
certo avvilente senso di superiorità e di compassionevole disprezzo
restava indifferente" (Moravia 33). L'unica dimensione in cui il
riscatto potrebbe realizzarsi, per far vincere il sentimento della
vendetta o dell'amore, sembra essere la fantasticheria: nel primo caso
il protagonista dostoevskijano immagina di prendere a schiaffi
chiunque abbia umiliato la sua povertà, e, sfidatolo a duello, di subire
processo e condanna per poi perdonare (cfr. in particolare p.87);
quello moraviano di uccidere Leo, ma di venir giudicato con formula
dubitativa, perché avrebbe finalmente agito con sincerità {cfr. in
particolare p.315). E qui si intravede uno scarto di non poco conto,
perché rimanda alla stessa differenza che Cantoni aveva segnalato tra
Kierkegaard e Heidegger, quella tra credente e laico. Dostoevskij sa
benissimo che non si può impunemente negare la legge della solidarie-
tà e dell'amore verso il prossimo, e che l'uomo del sottosuolo è
ancora vivo spiritualmente perché dubita e si critica; Moravia invece

quando parla di sincerità non la concreta in un atteggiamento attivo verso gli altri, ma piuttosto coerente verso i propri impulsi: "Ma... ma la miglior vendetta non era il perdono? Si, ma quale perdono? quello affettuoso, amorevole, ilare? Oppure l'altro sprezzante, freddo, gettato in faccia come un'elemosina? Il secondo" (ivi, 230-1): per lui non è previsto il premio consolatorio dell'espiazione, né del dono di sé agli altri.

Lo stesso scarto infatti emerge quando la scappatoia dell'immaginazione porta i due personaggi a cercare una soluzione alla propria angoscia nell'innamoramento, sublimato proprio attraverso l'arte. Dostoevskij può coniugare quest'ultima a una sorta di impegno a far vivere la sua idea nel mondo:

> Ma quanto amore, Signore, quanto amore mi accadeva di provare in questi miei sogni, in queste "fughe verso tutto ciò che è bello e sublime"! (...) Tutto, del resto, terminava sempre felicissimamente in un pigro e inebriante passaggio all'arte; cioè alle forme estetiche già pronte dell'esistenza, fortemente plagiate ai poeti e ai romanzieri e adattate a ogni possibile servizio ed esigenza (...). Essendo un famoso poeta e ciambellano, m'innamoravo; ricevevo una quantità innumerevole di milioni e all'istante li sacrificavo per il genere umano e subito confessavo davanti a tutto il popolo le mie ignominie, le quali, s'intende, non erano semplicemente ignominie ma racchiudevano in sé una straordinaria quantità di "bello e sublime," qualcosa alla Manfredo (Dostoevskij 60-1).

Michele invece sotto l'onda della musica cova "la speranza estrema di trovare tra tutta la gente del mondo una donna da poter amare sinceramente," ma la preclusione di una qualsiasi possibilità d'azione rende la sua fantasticheria non solo sterile ma anche fragile al punto da svanire di fronte all'irrompere della "chiacchiera mondana":

> la musica lo avrebbe aiutato a ricostruire quest'immagine amata...ed ecco difatti, più per la sua esaltazione e per il suo desiderio che in grazia della musica stessa, fin dalle prime note, formarsi tra lui e Carla quella immagine (...): "la mia compagna," egli pensò; e già dei gesti, una specie di abbraccio, un sorriso, una mossa della mano, degli avvenimenti, passeggiate, conversazioni, si formavano e passavano nel cielo

desideroso della sua fantasia, quando un chiacchiericcio fitto
e sommesso ruppe l'illusione e lo ricondusse alla realtà
(Moravia 164).

Certo, per entrambi la vita, scissa tra quello che si è e quello
che si vorrebbe essere, appare simile a una recita in cui è necessario
"mettere questa maschera disonesta, menzognera" (Dostoevskij 112),
che nasconde "un cattivo attore di provincia" (Moravia 250). La storia
di una redenzione mancata diventa la rivelazione della miseria fisica
e morale dell'uomo che ha deciso di vivere in modo problematico la
propria esistenza. Ma, ancora una volta, se l'atto d'amore è impossibile nella realtà, la sconfitta di per se stessa non dovrebbe impedire
di aprirsi a una nuova ricerca di liberazione. Cosi, quando cerca uno
sfogo provvisorio tormentando gratuitamente chi sta ancora più in
basso di lui, la prostituta Lisa, il protagonista delle *Memorie* si pone,
alla fine, "una domanda oziosa: che cosa è meglio, una felicità a buon
mercato o delle sofferenze sublimi? Ebbene, che cosa è meglio?"
(Dostoevskij 130-1). La voluttà del dolore non scalfisce invece
l'animo di Michele, quando umilia Lisa rifiutando il suo abbraccio:
"Se ne hai proprio desiderio..." disse corrucciato, rassettando mac-
chinalmente la cravatta in disordine; "ebbene torna...torna con Leo..."
(Moravia 286).
    Moravia, quando scriverà *La ciociara*, vedrà proprio nel
dolore l'esperienza capace di riscattare le colpe dell'uomo, ma qui,
intento a mostrare in tutta la sua drammaticità la condizione di una
società senza speranza, può solo costruire un personaggio che si
muove nelle categorie dell'assenza, e che per questo non riesce mai
a centrare il suo bersaglio: "né purificazione, né espiazione, e neppure
famiglia... indifferenza, indifferenza; soltanto indifferenza" (ivi, p.315).
Fa eco a Dostoevskij: "in un romanzo ci vuole un eroe, e qui sono
stati raccolti *apposta* tutti gli elementi di un anti-eroe e, più che altro,
ciò produrrà un'impressione arcisgradevole, perché tutti noi ci siamo
disabituati alla vita, tutti zoppichiamo, chi più chi meno" (Dostoevskij
131).
    A Michele Ardengo manca la "fede," anche laica, in un
qualche ideale, al protagonista dostoevskijano la sconfitta invece
insegnerà che la soluzione della tragicità dell'esistenza potrà essere
risolta nel cristianesimo umanitario del principe Mjskin e di Aljosha.
Questa differenza è ovviamente mantenuta anche nel romanzo
successivo, *Le ambizioni sbagliate*, pubblicato nel 1935, dove il
riferimento a Dostoevskij è esplicito:

Volevo dare il ritratto di una società non in maniera natura-
listica, ma secondo quel tono di violenza esistenziale che è
tipica di Dostoevskij. Questo disegno fallì: mi accorsi che il
romanzo di vasta orchestrazione sociale non si poteva più
fare, per lo meno io non potevo più farlo. (Siciliano 41).

Che Moravia non abbia saputo fare un romanzo di vasta
orchestrazione sociale è un fatto che non lo esime dal riconoscere il
suo modello: come nello scrittore russo, infatti, c'è "l'anima nera"
che, dopo aver traviato la fanciulla, la porta, pur indirettamente, al
delitto: l'indifferenza sembra scomparsa, ma al suo posto non è
subentrata la forte conflittualità interiore tra morale corrente e volontà
di porsi oltre a legge (*Delitto e castigo*) anche divina (*I fratelli
Karamazov*), bensì la determinazione a realizzare comunque le proprie
ambizioni sbagliate. In una società in cui tutti cercano falsi valori, il
conflitto non è fatto scaturire tanto tra ricerca della verità e ambizione,
ovvero tra vita autentica e vita banale, quanto piuttosto tra due modi
di provare i propri legami affettivi: Andreina non si pente del furto
e dell'omicidio e non perdona a Pietro il rifiuto di accompagnarla
nella sua caduta; e questo capisce tardi che redimere la donna era
impossibile   perché l'accettazione del proprio destino non poteva
provocare catarsi:

Le pareva di vedere la propria vita dalle origini fino ad ora,
distingueva il destino che attraverso gli anni l'aveva portata
al disastro attuale, ma, oltre a questa constatazione ferma e
gelata, non sapeva andare. Tutto era stato al tempo stesso
giusto e ingiusto.[8]

Moravia dunque, avendo modificato i termini del conflitto
dostoevskijano, sembra allinearsi su posizioni assai vicine a quelle
dell'esistenzialismo novecentesco, confermando la propria predisposi-
zione a darsi pace della *situazione* in cui è stato *gettato*. E intanto
prova altri generi narrativi, racconti brevi di studio di caratteri
(*L'imbroglio*), virati anche in toni surreali (*I sogni del pigro*), dove
si fa strada la situazione affettiva della noia (*L'amante infelice*); nel
racconto lungo (*Agostino*) continua a porsi il problema dell'analisi di
una coscienza in urto con una realtà esteriore, dove però il sottosuolo
viene letto anche come linguaggio dell'inconscio. Tuttavia, nonostante
l'apertura a nuovi strumenti conoscitivi, lo scrittore romano continua
a tener vivo il proprio interesse verso l'esistenzialismo, come si può

vedere con *La romana*, romanzo scritto tra il 1943 e il 1946. quando viene pubblicato la situazione storica era profondamente cambiata con il crollo del regime fascista, la fine della guerra e la ripresa della vita democratica. I dibattiti culturali stavano imboccando la via di una concezione della realtà come di un insieme di problematiche anche storico-politiche, e proponendo una letteratura che di queste tensioni tenesse conto. Ma nel '43, l'anno in cui Moravia comincia a scrivere *La romana*, proprio sull'esistenzialismo "Primato" apre un famoso dibattito, con cui tenta una sorta di consuntivo su una filosofia ormai ritenuta sorpassata, ma la cui presenza era stata vitale. Basta dare uno sguardo ai repertori bibliografici di Vito Bellezza[9] per rendersi conto di quanto fosse penetrata in Italia, dove nel 1939, a Bologna, sui suoi temi si tenne la XIII assise dei filosofi italiani riunitisi a convegno. Naturalmente, nel confrontarsi con il pensiero heideggeriano per cui l'esistenza autentica è assunzione di se stessa come "nullo fondamento di una nullità" e con quello jaspersiano per cui solo di fronte al naufragio dell'esistenza avvertiamo l'incontro con Dio, le posizioni furono diversissime, ma accomunate tutte dal desiderio di trovare, comunque, un fine costruttivo: Abbagnano portava la riflessione sul terreno della conciliazione tra ricerca incompiuta e orizzonte di valori; Banfi voleva profittare della carica antidogmatica e problematica dell'esistenzialismo per fondare una filosofia che incidesse sulla storia; Pareyson, dopo aver sottolineato le differenze tra esistenzialismo russo, tedesco e francese, coglieva nella frattura tra il momento della situazione e della libertà dell'esistenza umana le caratteristiche di un pensiero che, maturato da noi nel contesto culturale dell'idealismo, finiva per veicolare una carica ottimistica nella possibilità di incidenza fattiva dell'uomo nella vita e nella storia. E tutti gli altri, da Guzzo a Carlini, da Grassi a Della Volpe, a Bongioanni, non facevano che rafforzare questa piegatura epistemologica.

Nel romanzo, invece, l'ipotesi costruttiva della proposta filosofica italiana è assente, anche se le vicende narrate non raggiungono gli esiti assolutamente negativi o trascendentalmente risolutivi dell'esistenzialismo europeo. Si potrebbe parlare di una "zona media," caratterizzata dalla presenza della tonalità affettiva dell'angoscia, che nasce dal rifiuto della vita banale, avvertita come estranea alla propria ansia di verità, e che si rafforza per la consapevolezza sperimentata di non poter pervenire a una vita autentica: l'esistere si rivela come atto di nientificazione dell'essente nella sua totalità, di conseguenza la scoperta della liberazione dalla sollecitudine, cioè della libera accettazione della propria situazione e finitezza di fronte all'infinitudine indeterminata del nulla, veicola attraverso l'angoscia l'accoglimento della morte in quanto implicita nella vita. Naturalmente questa pur comune disposizione produce esiti assai diversi, per cui, come in una foto di famiglia, l'estroverso sta accanto all'introverso, il pragmatico al contemplativo, ecc. E già in alcuni titoli (*Gli anni perduti* di Brancati, *L'uomo è forte*, che in realtà doveva intitolarsi *Paura sul mondo* di Alvaro, *Il carcere* di Pavese, *Il deserto dei Tartari* di Buzzati, *La cognizione del dolore* di Gadda), nel problema del tempo, nella paura, nel carcere, nel deserto, nel dolore si riconosce facilmente la situazione esistenziale di chiusura, anche se i livelli di consapevolezza teorica sono diversi.

Sono temi che ritroviamo nella *Romana*, nonostante il carattere gioioso e conciliante autoproclamato dalla protagonista sembri occultarli: Adriana, divenuta prostituta nonostante la sua aspirazione a una vita banalmente borghese, accetta di tenere un figlio concepito con un assassino proprio quando il padre che gli aveva scelto per crescerlo si suicida. La visione del mondo esistenzialistica viene provata dunque su un personaggio che apparentemente anela a una vita "inautentica," a una famiglia e a una casa confortevole, quasi a dimostrare che il destino prevarica le nostre scelte sia che lo accettiamo, come nel caso di Adriana, che lo subiamo, come fanno il poliziotto Astarita e il malvivente Sonzogno, o che lo rifiutiamo ribellandoci, come lo studente Giacomo che vede nella morte l'unica prospettiva possibile per riaffermare la propria incapacità di trovare una conciliazione con la vita. Seguiamo il percorso di Adriana, consapevole di essere una "vittima"[10] ma incapace di liberarsi "da un senso di rimorso e di costernazione"(*La romana* 282). Dunque il *singolo* avverte che l'*esserci* è *peccato*: Adriana, divenuta quello che non avrebbe voluto essere, sente l'*angoscia* di una disperazione irresolvibile:

> Pensavo che ero uscita da un buio senza fine e che sarei rientrata presto in un altro buio egualmente illimitato e che questo mio breve passaggio sarebbe stato contrassegnato soltanto da atti assurdi e casuali. Allora capivo che la mia angoscia non era dovuta alle cose che facevo, ma, più profondamente, al nudo fatto di vivere, che non era né male né bene, ma soltanto doloroso e insensato (ivi 204},

Gradualmente si accorge che l'angoscia è l'habitus comune e che per dissimularla gli uomini sono costretti a recitare una parte:

Ma non mi illudevo di essere sola a provare sentimenti così violenti e così disperati. Pensavo che dovesse accadere a tutti, almeno una volta al giorno, di sentire la propria vita ridursi ad un punto d'angoscia, ineffabile a assurdo. Soltanto che anche a loro tale consapevolezza non produceva alcun effetto visibile. Uscivano poi dalle loro case, come me, e se ne andavano in giro recitando con sincerità la loro parte insincera. Questo pensiero mi confermava nella convinzione che tutti gli uomini, senza eccezioni, sono degni di compassione, non fosse altro perché vivono (ivi 205-6).

L'incontro con Giacomo, di cui si innamora, non risolve la sua situazione, non tanto, come aveva lamentato il Michele degli *Indifferenti*, per mancanza di sincerità, ma in .quanto non riesce a entrare in sintonia con il suo modo di pensare. Adriana desidera "uscire da questo mio carcere di pietà e di angoscia " (ivi 285), ma scopre la noia ("una noia, una disperazione ... mi sentivo tutta rattrappita, gelata, legata ... a momenti pensavo che volevo morire" (ivi 435) e l'incomunicabilità: "Era un chiaro indizio della lucida coscienza che serbava sempre, qualsiasi cosa facesse, e che, come dovetti scoprire più tardi con dolore, gli impediva di comunicare e di amare davvero" (ivi 324). Sarà forse una pura coincidenza, ma Adriana come Pavese del *Carcere* e Calvino del *Sentiero dei nidi di ragno* guarda al mare come al simbolo della libertà contrapposto all'orizzonte negato dell'esistenzialismo: "alla vista del mare provavo sempre un senso di libertà" (ivi 452); ma, subito dopo, avverte la presenza della morte: "Ma ripresi a pensare al mare e mi venne un gran desiderio di morire annegata" (ivi 453). *La romana* però si salva, perché, come Kierkegaard e Jaspers, sebbene con toni più dimessi e praticistici, ha una sua fede, talvolta un po' superstiziosa, ma comunque in grado di risolvere la sua disperazione per il senso d'angoscia e di solitudine che spesso avverte:

> Mi ricordai del brivido di smarrimento che avevo provato poco prima guardando alla strada affollata, e mi sentii confortata dall'idea che ci fosse un Dio che vedeva chiaro dentro di me, e vedeva che non c'era niente di male, e che io, per il solo fatto di vivere, ero innocente, come, del resto tutti gli uomini (...). E mi parve ad un tratto che quest'incoraggiamento partisse dalla figura scura dietro i ceri dell'altare, in forma di un calore improvviso che mi avvolse tutta la

persona. Sì, io ero incoraggiata a vivere, sebbene nulla capissi della vita e del perché si vivesse (ivi 250-1).

Moravia, come sempre, mette in scena personaggi corposi ma li fa agire in situazioni complesse, tanto che il suo gioco d'intreccio rischia talvolta di deprimere lo spessore problematico dei vari punti di vista e di spostare l'interesse dall'interno delle ideologie espresse all'esterno degli accadimenti che muovono l'azione. Questa finta popolana, che narra in prima persona con occhi e sesso puri perché non contaminati dalla storia e dai valori borghesi dominanti, può essere portavoce di una morale tradizionale che finisce per guardare ai comportamenti del ceto cui avrebbe voluto appartenere con la coscienza della loro negatività. E allora la sua blanda ed antintellettualistica accettazione della realtà può essere letta come adesione ad alcuni presupposti neorealistici, che volevano un popolo "sano" in rotta con il punto di vista dell'intellettuale borghese, o come necessario adeguamento mimetico alla natura di un personaggio che culturalmente non può esprimersi come lo studente Giacomo; infatti, novello Emilio Brentani alle prese con una più sincera Angiolina, non riesce a farsi capire: "In quel tempo egli sembrò appassionarsi a quello che, con una punta d'ironia, chiamava la mia educazione," naturalmente destinata all'insuccesso: "A dire la verità (...) non posso spiegare nulla perché non ho capito nulla" (ivi 383, 384). Mi sembra che, pur ridotto di spessore problematico, il senso non rimandi a una impostazione marxista del problema, sia perché Adriana non ipotizza mai, neppure a modo suo, una qualsiasi forma di lotta di classe, sia perché, a modo suo, soffre proprio degli stessi dilemmi esposti da Giacomo in maniera teoreticamente più complessa. E allora quando scopre che l'amore disinteressato ed altruistico per gli altri, e per Mino in particolare, le consente di "gustare pienamente il sapore vero della vita, fatto di blanda noia, di disponibilità e di speranza" (ivi 393), non mi pare insensato postulare che, di fatto, Moravia abbia interpretato, per dirlo con una formula, lo spirito della via italiana all'esistenzialismo, nella versione cattolica, di monsignor Olgiati, di Pellizzi, di Guzzo, di Carabellese.

Non dimentichiamo che Moravia, pur non essendo mai stato credente, proprio in quegli anni, nel 1944, pubblicava il saggio "La speranza ossia Cristianesimo e Comunismo," e nella speranza cristiana vedeva "l'esempio migliore, più noto e più vicino, che possiamo citare a sostegno della nostra tesi," cioè della necessità di far intravedere all'uomo un fine superiore ai valori materiali del mondo, per vincere la corruzione, la decadenza, il disordine e la morte;[11] certo, nello stesso saggio considerava concluso il ciclo storico del cristianesimo, sulle cui ceneri veniva prendendo slancio il comunismo, ma non poteva non sottolineare la forza di una fede che proprio nel "naufragio" dell'esistenza avverte l'incontro con Dio. Adriana dunque si salva, Giacomo, fratello maggiore di Michele e militante antifascista, no. I suoi dati caratteriali li conosciamo bene:

> Gli accadeva di infiammarsi, insomma, per un fine qualsiasi e, finché durava il fuoco del suo entusiasmo, di vedere quel fine come una cosa concreta e possibile. Poi, tutto ad un tratto, il fuoco si spegneva ed egli non provava più che noia, disgusto e, soprattutto, un completo sentimento di assurdità. Allora o si lasciava del tutto andare ad una specie di smorta e inerte indifferenza, oppure agiva in maniera esteriore e convenzionale, come se quel fuoco non si fosse mai spento, ossia, in una sola parola, fingeva (*La romana* 385-6).

L'incapacità fisica di provare sentimenti rimanda a un tono emotivo di rapportarsi al mondo dominato dall'angoscia e da un'apatia che fa decadere nel non senso la consistenza di qualsiasi ideale:

> "Si... o meglio ho capito soltanto come capirei tuttora, le parole... ma non i fatti che quelle parole indicavano... ora, com'è possibile soffrire per delle parole? Le parole sono suoni, sarebbe stato come se mi fossi fatto mettere in prigione per il raglio di un asino o lo stridere di una ruota... le parole non avevano più alcun valore per me, mi sembravano tutte assurde e tutte eguali, lui voleva parole e io gliene ho date, quante ne ha volute" (ivi 430).

Così l'intellettuale ha tradito i suoi compagni, non per le torture fisiche, né per un mutamento di posizione, ma "semplicemente" per estraneità ai valori del mondo e nonostante la visceralità della protesta contro il suo essere "borghese": l'ideale socialista non ha la stessa forza della morale di Adriana, e il tentativo di trasferire la "situazione" da un piano esistenziale ad uno storico fallisce. L'"interruzione della volontà," come scrive Giacomo nella lettera d'addio (ivi 478), è stata causata dalla coscienza del conflitto esistenziale di un io che si sente scisso tra l'impossibilità di evadere dalla propria "situazione" e l'impossibilità di accettarla: "in quel momento cadde il personaggio che avrei voluto essere e fui soltanto l'uomo che sono" (ivi). La radicale indifferenza che prova verso tutti gli aspetti dell'esistenza coinvolge l'umanità intera, e non solo la classe da cui ha succhiato un modo d'essere che lo ha reso impotente di fronte alla vita:

> "L'umanità," egli continuò, "è una cosa senza capo né coda... decisamente negativa, però... la storia dell'umanità non è che un lungo sbadiglio di noia... che bisogno ce n'è?... Per conto mio ne avrei fatto a meno."
> "Ma anche tu," obbiettai, "sei compreso in quest'umanità... anche di te stesso allora avresti fatto a meno?"
> "Di me stesso soprattutto" (ivi 377).

La lotta politica gli si rivela allora come una commedia, per cui la coscienza della propria insufficienza umana incolmabile da altri compiti storici e la non accettazione del suo destino lo portano al suicidio come all' unica possibilità d'uscita dal carcere della vita. Giacomo potrebbe rappresentare dunque l'altra via, europea, dell'esistenzialismo, ma una via che mal s'accorda alla tradizione nostra, che è quella seguita da Adriana, una figura, come dice il pittore per il quale all'inizio della sua storia faceva da modella, fuori moda, simbolo di una femminilità che non appartiene al presente ma a un passato antico, da cui è possibile apprendere come "la vera infelicità viene quando non si hanno più speranze; e non giova allora star bene e non aver bisogno di nulla" (ivi l25).

Da questo momento, mentre l'esistenzialismo diventa serbatoio di figure di chiusura e solitudine ormai di maniera (Berto, Del Buono, Petroni, Joppolo, ecc.), Moravia cambia strada: *Il conformista* cerca di spiegare i motivi inconsci che hanno portato la borghesia italiana all'adesione al fascismo, da cui non riesce a liberarsi, finendo per soccombere a un destino "fatale"; *Il disprezzo* analizza il fallimento dell'intellettuale borghese, coinvolto, suo malgrado, nel meccanismo dell'industria culturale. Ma con *La ciociara*, la cui stesura era stata iniziato subito dopo romana e ripresa solo un decennio dopo, abbiamo una sorta di verifica di come l'autore avrebbe potuto concludere la storia della sua *indifferenza*: il nuovo intellettuale non a caso ha un nome vecchio, Michele, e, come Giacomo, è un antifascista. Questa volta però Michele muore nel tentativo di salvare la sua gente, e accetta di sacrificarsi proprio perché ha abbandonato la logica astratta in favore di una prospettiva religiosa.

Moravia non prosegue su questa strada, ma è significativo che nell'ultima pagina del romanzo la protagonista Cesira attribuisca all'insegnamento avuto da Michele la vittoria sull'indifferenza:

> e ricordai quella sera che aveva letto ad alta voce, nella capanna, a Sant'Eufemia, il passo del Vangelo su Lazzaro (...). Allora queste parole di Michele mi avevano lasciato incerta; adesso, invece, capivo che Michele aveva avuto ragione; e che per qualche tempo eravamo state morte anche noi due, Rosetta ed io, morte alla pietà che si deve agli altri e a se stessi. Ma il dolore ci aveva salvate all'ultimo momento; e cosi, in certo modo, il passo di Lazzaro era buono anche per noi poiché, grazie al dolore, eravamo, alla fine, uscite dalla guerra che ci chiudeva nella sua tomba di indifferenza e di malvagità ed avevamo ripreso a camminare nella nostra vita.

(Cristina Benussi. Università di Trieste)

NOTES

[1]Cfr. Ugo Carpi. *Bolscevico immaginista* (Napoli: Liguori, 1981).

[2]Cfr. C. Benussi, a cura di, *Il punto su Moravia*, Laterza, Bari 1987.

[3]Remo Cantoni, *La coscienza inquieta. Soren Kierkegaard* (Mondadori: Milano, 1949), 193-94.

[4]Cantoni "Dostoievskij come esistenzialista," in *Il Politecnico*, n.35, gennaio-marzo 1947.

[5]Enzo Siciliano, *Moravia: vita, parole e idee di un romanziere* (Bompiani: Milano, 1982), 41.

[6]Fyodor Dostoevskij. *Memorie del sottosuolo* (Einaudi: Torino, 1988), 6.

[7]Moravia. *Gli indifferenti* (Bompiani: Milano, 1949), 14-15.

[8]Moravia, *Le ambizioni sbagliate* (Garzanti: Milano, 1963), 528.

[9]"Bibliografia italiana sull'esistenzialismo," in *Archivio di filosofia*, 1946)

[10]Moravia. *La romana* (Bompiani: Milano, 1947), 137.

[11]In *Moravia. Opere 1927-1947*, a cura di Geno Pampaloni (Milano: Bompiani, 1986), 1041.

La 'grammatica' degli *Indifferenti*

Manuela Bertone

Gli Indifferenti si costituisce in apparenza come romanzo "povero" nei contenuti e strutturalmente articolato secondo modelli narrativi indubbiamente tradizionali, ma offre di fatto allo scandaglio critico una serie di peculiarità linguistico-strutturali notevoli fino ad ora non pienamente sviscerate, ma tali da sovvertirne lo statuto ormai accettato, assodato, di narrazione apparentemente "normale" e da suggerirne semmai l'interpretazione in quanto eccezionale fastello di curiose "trovate" stilistiche.

I "motivi," cioè le manifestazioni testuali dei temi del romanzo, attinenti alla logica del *racconto,* sono stati abbondantemente esplorati nei più di sessant'anni che ci separano dalla pubblicazione degli *Indifferenti*, ma l'altra faccia del programma "tematico" del testo, quella stilistica, legata alla logica del *discorso,* è certamente rimasta in ombra,[1] a tal punto che nell'introduzione alla versione del 1963 della *Cognizione del dolore* di Carlo Emilio Gadda, cioè parecchi lustri dopo la pubblicazione del primo romanzo moraviano, Gianfranco Contini scrive: "i presupposti di Moravia, nonchè essere espressivi, si situano al polo opposto dell'espressività, perseguendo un programma di 'grigio' che è, e fu soprattutto ai suoi primordi, una vera volontà di assenza di scrittura" e sottolinea: "non mi sembra sia stata resa sufficiente giustizia all'estro sperimentale attivo in Moravia come in ogni serio produttore e laborioso organizzatore [...] di letteratura."[2]

Non deve stupire il riferimento di Contini, in un saggio su Gadda, ad un Moravia dal programma di "grigio," da collocarsi cioè agli antipodi dell'espressionismo fatto di escursioni fuori dalla media e dalla norma che caratterizzano il lavoro letterario dello scrittore milanese; ma l'appunto di Contini invita a riflettere proprio su quel "primo" Moravia, o Moravia dei primordi: il fatto che il critico parli di "vera volontà di assenza di scrittura" e rincalzi subito dopo invocando l'ingiustizia fatta dalla critica allo sperimentalismo di Moravia, non significa forse che quella "volontà di assenza" può di

21

fatto essere esplorata come volontà di significare una "presenza"? La presenza di un esperimento che, fondato essenzialmente su uno schietto monolinguismo, inserito entro parametri organizzativi ortodossi, passa inosservato, mentre raggiunge di fatto risultati espressivostilistici che vale la pena esaminare con interesse analogo a quello che Contini dedica agli spazi testuali gaddiani. E lo stesso monolinguismo di Moravia, almeno all'altezza degli *Indifferenti*, e nell'ambito di un Novecento in cui la "grande" letteratura è proprio quella che si contesta e si afferma come referto di uno scarto, di un rovello stilistico, non è in fondo meno "letterario" e perciò eversivo almeno altrettanto, se non più, dell'esperimento di un Gadda, di un Landolfi, di un Joyce, e sicuramente di tante "belle pagine" prodotte allora "dall'oreficeria novecentista di Bontempelli" o "nel barbaglio affabile della prosa lirica rondista"?[3]

La paradossalità dell'esperimento di Moravia sta proprio nel volersi allontanare dall'esperimento manifesto, nel voler "reagire a Joyce" (e sono parole dello scrittore) che "lasciava il romanzo sbattesse contro l'impossibilità del racconto"[4], nel voler insomma anticipare con il romanzo quell' " Arte Povera" che proprio nel parossismo della semplicità, nell'eliminazione dei soprasensi e dei doppi sensi, trova la sua espressione complessa, la sua "deviazione," il suo " scarto" .

Gli indifferenti sollecitano allora una rilettura volta a reperire gli indizi di originalità racchiusi nella "dimensione verticale" della narrazione, la dimensione dello stile. Lo stesso Moravia ci avverte: *"Gli indifferenti* era un'idea stilistica, o una fissazione stilistica" e, prosegue, "La scoperta della struttura concettuale [da parte di chi scrive, n.d.r.] avviene alla fine del romanzo"[5]. Egli ci esorta ad una riflessione tendente a mettere in luce le ripercussioni delle scelte stilistiche sul programma tematico anzichè il contrario, allorchè ci invita a considerare il romanzo -- a partire dalla *Recherche* proustiana -- come "movimento narrativo," "fatto di strutture, di rapporti fra le strutture"[6] e soprattutto a prendere atto della sua ferma certezza che "dopo esser stato per tanto tempo una questione di contenuto, il romanzo sembra risolversi in un impegno formale"[7] in cui l'impegno formale, lo stile, dice Moravia, "sono proprio le cose che si hanno da dire e il rapporto in cui si trova lo scrittore con queste cose"[8], e costituiscono insomma quegli "elementi di composizione, di psicologia, di cultura che oltre alla sensibilità sono parte integrante del romanzo."[9]

Non è certo azzardato affermare che la "tematica architetturale" predomina nel romanzo: ci si accorge in quale misura la forma del discorso degli *Indifferenti* si ripercuota sul suo contenuto e non viceversa allorchè si rileva la presenza di vistosi segnali di "antinarratività" quali la limitatezza dell'estensione temporalegeografica della storia e del numero di personaggi, la stringatezza "teatrale" del discorso esperito dai personaggi, l'assenza di trama e di peripezie propriamente romanzesche. Ma il rilancio dell'analisi volta all'esplorazione degli aspetti "tecnici" del primo discorso narrativo di Moravia si dimostra davvero produttivo solo se non ci si accontenta di considerazioni di tipo "macrostrutturale," solo se ci si inoltra nelle zone di quella che potremmo chiamare semplicemente "grammatica" degli indifferenti (o degli *Indifferenti*).

La forza della costruzione, dell'edificazione dell'indifferenza è nel materiale; l'indifferenza non sarebbe narrabile nella sua essenza concettuale: per questo la sua lenta tematizzazione avviene attraverso la "grammatica," attraverso l'assemblaggio *non casuale* di una serie di fattori linguistici (scelte sintattiche, lessicali) e di fattori strutturali (uso di ripetizioni, parallelismi) la cui analisi consente di appurare in che cosa consista l'originalità narrativa del romanzo colto nel suo "farsi".

"Parole, parole, parole, diceva Amleto. In esse, ne *Gli indifferenti si* annida la parvenza del mondo, nelle parole che non mordono più, nelle parole che ruotano su sè stesse come viti spanate, nelle parole che sono l'epifania di un malanno, o di una fuga del corpo che le pronuncia alla volta di una impossibile libertà: - quelle parole sono arrese del tutto alla fisiologia, nel loro uso autistico crolla intera un'immagine dell'esistenza"[10]: il giudizio critico limpido ed accurato di Enzo Siciliano solleva implicitamente (senza cioè superare i limiti di un'acuta allusività) la domanda che è necessario pòrsi per comprendere il significato di "conseguenze" esegetiche quali "epifania di un malanno," "parole arrese alla fisiologia," "uso autistico della parola": in che modo Moravia è giunto a tale risultato? L'analisi dei campi di creatività sintattico-grammaticale (e, per estensione, logicosemantica), ovvero la discesa nei territori della "microstruttura," è la sola che permetta di capire come lo scrittore abbia "lavorato" quelle parole, che permetta di risalire alle radici di quello che Borgese chiamava il "tatuaggio al vetriolo" che Moravia impresse sulla prosa contemporanea, e che, in fondo, renda agibile l'accesso alla giusta interpretazione "ideologica" del complesso del racconto.

"Entrò Carla," così inizia il romanzo. Così, il narratore di terza persona incomincia il suo racconto al passato di una storia che, altrimenti, è lecito presumere, non verrebbe mai raccontata. La scelta della terza persona "oggettivante," rispetto a quella "soggettivante," "io," non pare essersi imposta come semplice meccanismo retorico, bensì come riflesso necessario della voce della "coscienza dell'indifferenza" che i personaggi, viventi nell'indifferenza, non possiedono e che solo un narratore extradiegetico può rendere operativa narrativamente, vista l'assoluta mancanza di oggettività esegetica che caratterizza ciascuno degli attanti: fin dal primo, breve capitolo risulta chiaro, infatti, che "gli indifferenti" non riescono nemmeno a comunicare fra di loro *oralmente* in maniera esauriente.

Carla Ardengo è letteralmente schiacciata dal fardello della propria incapacità espressiva sia nei confronti di Leo Merumeci che nei confronti della propria madre, Mariagrazia. Lo iato fra il pensato e l'espresso da Carla è continuamente sottolineato da notazioni del narratore e da connotazioni grammaticali (quali l'uso di congiunzioni avversativa e del condizionale) che ingigantiscono la portata del rapporto inibitorio fra la ragazza e gli individui che la circondano, sottolineando contrastivamente la banalità del "detto" rispetto alla impronunciabilità del "non detto" o addirittura lasciando il "non detto" senza riscontro verbale[11]

> "Finirla" pensava "rovinare tutto" [...] *Ma invece* supplicò: "Lasciami" (8);

> "La vita non cambia," pensò [...] *Avrebbe voluto gridare;* abbassò le due mani e se le torse [...] (10);

> "Ecco" pensò Carla; un leggero tremito di insofferenza corse per le sue membra, socchiuse gli occhi e rovesciò la testa *fuori* da quella luce e da quei discorsi (12);

> "Ecco" si ripetè Carla; quella conversazione [fra Leo e Mariagrazia, n.d.r.] poteva continuare; *ma* ella aveva riconosciuto che la vita incorreggibile e abitudinaria non cambiava; e questo le bastava; si alzò: 'vado a mettermi un golf e torno' (12).

Un fenomeno di analoga "riduzione" dell'elocuzione rispetto al pensiero si verifica nel caso di Michele Ardengo, condannato a comunicare per frasi brevi o monosillabiche con la sorella Carla fino al primo, vero, esteso incontro verbale che ha luogo solo nel capitolo XV, e a conservare nell'immaginario le più alte proiezioni della propria irruenza di giovane adulto. Così i suoi primi scambi con Leo:

> "Due giorni soltanto" disse il ragazzo guardandolo fissamente; [...] *avrebbe voluto soggiungere:* 'E meno ci vediamo meglio è' o qualcosa di simile, *ma non ne ebbe la prontezza nè la sincerità* (13);

> "Il padrone di casa," pensò questi [Michele, n.d.r.] senz'ombra d'ira, "eccone una bella...: il padrone di casa sei tu". *Ma non disse nulla* e uscì nel corridoio dietro la madre (15).

Al momento di "esprimersi," Michele si ferma allo stadio del "progetto," capace solo di assistere inerme alla trasformazione in *actes manqués* di quelli che voleva fossero *actes gratuits;* per ben tre volte viene "disarmato" e contemporaneamente ridotto al silenzio: quando cerca di schiaffeggiare Leo che gli blocca il braccio a mezz'asta, quando fa partire verso Leo il portacenere che per sbaglio va a colpire la madre, quando spara a Leo con una pistola scarica che costui si affretta a scaraventare in un angolo. Michele è in grado di interpretare da *ved ette* unicamente i propri fantasmi angoscianti: l'esempio più plateale di questa sua esistenza di eterno creatore senza creazione è la costruzione anticipata, nel pensiero, del processo per l'omicidio di Leo non ancora commesso, tutto svolto al condizionale passato, all'insegna della proiezione e della prefigurazione ("avrebbe parlato," "avrebbe supplicato," ecc., --241 e segg. -). D'altro canto, sono numerosissime, nel corso di tutto il romanzo, le "correzioni" del discorso attraverso il condizionale passato "avrebbe voluto...": per Michele se ne contano ben diciassette, per Carla quindici, per Leo quattro, per Lisa una, per Maria Grazia nessuna, a riprova del fatto che i protagonisti più giovani beneficiano di una indifferenza vissuta dalla postazione degli oppressi/repressi.   Tuttavia, il loro divario rispetto agli adulti si arginerà entro la cornice del romanzo: la "trama" della storia è centrata precisamente sulla "degenerazione" dei giovani e sulla loro assimilazione nei ranghi dell'indifferenza dei meno giovani. La formula suddetta svanisce dall'ambito espressivo di Carla dopo la notte trascorsa con Leo e l'avvenuto passaggio alla "nuova vita" (una sola ricorrenza è reperibile nelle pagine terminali). Per

Michele, invece, più refrattario alla resa completa, questo schema grammaticale rimane attivo fino alle fasi finali del romanzo: Michele è il riscontro pieno di quel condizionale passato che fa da strascico inerte ai suoi pensieri e alle sue azioni: "avrebbe voluto...," ma non può.

Dal canto loro, Leo e Mariagrazia vivono situazioni locutorie improntate all'insegna della più assoluta banalità: se ai giovani è concessa almeno la dignità di pensare in termini "forti," sugli adulti incombe un'inettitudine globale alla parola, sia essa pensata o pronunciata.

Mariagrazia è, con Leo, l'unico personaggio a non manifestare "differenze" fra quanto dice e quanto pensa: ella non ha pensieri paralleli, sovrapposti o contrapposti al discorso pronunciato: ella è sempre impegnata, cieca e sorda, all'edificazione del proprio indulgente autoritratto e, nell' occasione in cui le è dato di dar spazio alle proprie rimuginazioni, si completa la celebrazione della sua "eccelsa stupidità" (68). Moravia la gratifica di una zona di monologo interiore/sogno ad occhi aperti il cui svolgimento conferma la sua tragica condizione di assenza dal reale: laddove tutto è oscuro e ambiguo, per Mariagrazia "tutto era chiaro, cristallino, spiegabilissimo" (207); mentre la famiglia si sgretola sotto il suo tetto, ella rimane in preda alla propria galoppante immaginazione, che produce scene intrise di ricevimenti, orchestre, danze in cui il presente (quello dei fatti, ma anche quello grammaticale) non fa mai irruzione; il monologo si trasforma in dialogo, beninteso immaginario e proiettato in un futuro ipotetico che non avrà mai corso, con la rivale Lisa:

"Disilluditi cara" avrebbe voluto dirle rabbiosamente; " sono cretina... ma fino a questo punto no... è passato il tempo che credevo tutti buoni, cari, affezionati, gentili... Ora tengo gli occhi bene aperti e non mi lascio più mettere nel sacco. . . ah ! no, mia cara... una volta basta... Dunque disilluditi, carina, ho capito tutto... non me la dai a bere, sono fine io, molto fine, estremamente fine" (208);

" 'Sì, ti perdono, va bene... ma bisognerà che abbia pazienza, che tu aspetti qui o su nell'anticamera... Sai, ricevo una quantità di persone alle quali non posso presentarti... gente nobile, capisci?" (209);

"Scusami tanto Lisa" le diceva "ma questa sera proprio non posso star con te... vieni domani, forse domani" (210).

Formulato in assenza dell'interlocutrice, nel silenzio della propria mente, munito delle sole battute a lei riservate, lo " scambio" si tramuta in un aberrante specimine di delirio autoreferenziale che delinea senza appello le coordinate della sua "invalidità" locutoria, intesa come menomazione comunicativa e come non idoneità a trasmettere significati.

Più complesso il caso di Leo Merumeci, personaggio pur accomunabile a Mariagrazia, fin dall'esordio, per la desolante, totale corrispondenza che vede collimare, in un'annichilente sciattezza, le sue cogitazioni basse e volgari ed i vocaboli esperiti. Si veda questo esempio iniziale: si tratta delle prime parole pensate da Leo in tutto il romanzo, accompagnate dal riscontro udibile della libidine che contengono:

"Eh che *bella* bambina"; egli si ripetè "che *bella* bambina" (6);

"'Sai che hai delle *belle* gambe, Carla? " (6).

La reiterazione dell'aggettivo (con la minima *variatio* del poliptoto: bella/belle), oltre a mettere in risalto la volgarità del personaggio, sottolineando l'assenza di freni inibitori nell'uomo maturo nei confronti della figliola della sua amante, stabilisce con chiarezza la portata ridotta del suo bagaglio dialettico, la "falsa economicità" del suo lessico, poichè nell'esprimersi Leo sceglie metonimicamente "le gambe," secondo un vieto *cliché* da canzonetta, liquidando l'analisi con un qualificativo di indubbia banalità, anzichè impegnarsi nell'elogio più difficile della totalità corporea dell'oggetto voyeuristicamente osservato.

A lettura inoltrata, si ha modo di scoprire che quello della "bella bambina" è un vero e proprio *Leit-motiv* del precario orizzonte espressivo di Merumeci[12], la cui disseminazione conferma definitivamente sia la ricerca del solo brivido incestuoso nei suoi rapporti con la giovane ("bella" sì, ma soprattutto "bambina," ovvero "quasi figlia," come egli la apostrofa nel biglietto d'auguri di compleanno), sia l'assoluta incapacità di staccarsi, foss'anche col pensiero, da un registro infantilmente ripetitivo ed autoconsolatorio:

> "Ah, che bella bambina" pensava intanto Leo; [...] "Ah, che
> bella bambina," e già si chinava per abbracciarla..." (96).

> "'Che bel vestitino hai" incominciò Leo con voce carezzevole
> e sommessa: "Chi te lo ha fatto?... Che bella bambina sei...
> vedrai come si starà bene insieme: sarai la mia bambina, la
> sola bambina della mia vita, la mia graziosa bambina" [...]
> "sicuro che l'amo la mia Carlotta, la mia bambola, la mia
> Carlottina" soggiunse Leo ficcando delle dita sconvolgitrici
> nei capelli della fanciulla; "la amo moltissimo e guai a chi me
> la toccherà... e la desidero anche, certo... tutta intera...
> desidero queste labbra, queste guance, queste belle braccia,
> queste belle spalle, questo suo corpo [...] " (170).

Questo secondo assaggio testuale, (ma altri lacerti sarebbero altrettanto eloquenti), da collocarsi all'altezza del processo di seduzione avvenuto fra le pareti domestiche di casa Merumeci ci permette di assodare l'estensione dell'inettitudine verbale di Leo. Il primo segmento, frammentato come il secondo da puntini di sospensione, quasi che Leo stesse cercando di sondare le riserve della sua eloquenza, trova il suo respiro retorico nella sequenza in crescendo delle leziosaggini pseudo-affettive marcate dal vezzeggiativo (il "vestitino") e dalla gamma aggettivale in spiccata parabola ascendente nonchè ossessivamente tendente, attraverso lo spostamento del possessivo, all'inserimento di Carla in una proiezione esistenzìale decisamente strumentale rispetto all'amante: "bella bambina," "la mia bambina," "la sola bambina della mia vita," "la mia graziosa bambina". Nel secondo segmento, troviamo confermato il già assodato infantilismo espressivo di Leo, ma per giunta rileviamo, caso unico nel romanzo, l'assunzione da parte del personaggio di un particolare atteggiamento grammaticale: un uso non già infantile, bensì infantilizzante della terza persona riferita a Carla che lo sta ascoltando. Leo si serve di quel linguaggio impersonale per cui spesso gli adulti optano nei confronti dei bambini e che implica, in senso linguistico, la negazione, attraverso l'abolizione del "tu" e dell' "io" normalmente usufruibili nello scambio dialogico, dello statuto di locutore e di interlocutore dell' "altro". Carla diventa insomma quello che Emile

Benveniste definisce *non personne,* cioè la persona non costituita nè come soggetto, nè come destinatario del discorso, ma come mera entità astratta che consente al locutore di farsi contemporaneamente anche interlocutore di se stesso. Sparisce così l'idea stessa di "sistema comunicativo": l'interlocuzione non è nemmeno in causa, lo statuto di "persona" (in senso grammaticale, ma anche esistenziale) è negato a chi ascolta. E il discorso di Leo prosegue nella propria traiettoria autorifrangente, solitaria e autoerotizzante, allorchè egli si attarda a stilare il "catalogo" delle caratteristiche corporee di Carla, sezionando crudamente, come per una mentale *leçon d'anatomie,* gli organi che dovrà esaminare, e pregustando languorosamente, come già il lupo con la bambina disubbidiente della fiaba di Perrault, i manicaretti che si appresta a divorare. La possibilità di concepire Leo come potenziale voce "soggetto" del romanzo viene esclusa proprio dall'eccesso di obliqua soggettività che permea le sue battute; Leo è un "iper-soggetto," una figura narrativa capace di realizzarsi solo attraverso l'imposizione di un "io" incontenibile e vorace, e dunque incapace di generare forme da esso autonome: non a caso, la sua percezione brutalmente inesatta della realtà viene sempre corretta narrativamente attraverso la giustapposizione della percezione, stavolta esatta, del narratore: se per Leo Carla è "bambina," nello spazio diegetico riacquista la propria identità autentica, torna ad essere "fanciulla," o "Carla" o "ella".

Si può allora affermare che attraverso la "frugalità," attraverso l'attento dosaggio di vocaboli e di modulazioni lessicali che caratteriz-za il periodare asciutto e incisivo che colpisce chi oltrepassa le soglie del libro, attraverso la tecnica della reiterazione insistita di schemi allocutivi relativi ai personaggi e la ripetizione ossessiva di richiami retorici, Moravia effettui quella "epifania del malanno," quella resa del verbo alla "fisiologia," quella manifestazione autistica dell'espressione di cui parlava Siciliano. Moravia scrittore prolifico, come dimostrano le decine di volumi prodotti, ma al tempo stesso, nell'ambito di singole unità narrative (e lo dimostra lo scarno esordio dei titoli) parsimonioso dosatore, narratore tendente al risparmio.

La particolare "parsimonia" di Moravia è verificabile attraverso un esempio di manipolazione verbale:

> "Come *vuoi" disse il ragazzo con istintiva mansuetudine, e subito si accorse* di essere stato dominato per la seconda volta. *"Dovevo dire: subito," pensò, [...] "dalla rabbia avrebbe voluto gridare..."* (14).

La doppia alternanza di due voci (personaggio/narratore/perso-
naggio/narratore) in questo stralcio testuale indica la presenza di due
punti di vista incrociati. In realtà l'uso di quattro tempi e di due modi
verbali consente di dar spazio a quattro modulazioni di un medesimo
discorso. Infatti il dispiegamento delle manifestazioni verbali di
Michele è doppio: il presente, tempo del dialogo e l'imperfetto, tempo
del soliloquio, permettono di presentare uno dopo l'altro il contenuto
manifesto (Come vuoi) e il contenuto latente (Dovevo dire) del
discorso del personaggio. L'intervento del narratore non si limita alla
normale diegesi descrittiva (disse, pensò), ma si interpone (si accorse)
prima per smentire il già detto e per anticipare il non ancora pensato
del personaggio e poi per farsi latore di una quarta ipotesi, taciuta dal
personaggio, espressa narrativamente al condizionale passato (avrebbe
voluto gridare) che proietta la storia in un futuro irreale che, in realtà,
appena nominato, fa già parte di un passato irrealizzabile. Bilancio: il
personaggio non sa parlare, è incapace di rimediare nel pensiero e di
emendare con nuove parole la propria inettitudine espressiva, infligge
a se stesso la pena supplementare di una carica di violenza repressa,
è smarrito insomma nell'esistenza come lo è nel vocabolario.

La struttura stilistica del romanzo, privilegiando per tutta la sua
durata il campo semantico del pensiero e della potenzialità rispetto a
quello della parola e della certezza, sottolineando il pathos di com-
partecipazione del narratore all'inettitudine verbale di quei suoi
personaggi che *non sanno parlare e non sanno vivere* esaspera l'idea
di comunicatività sconnessa come "figura" dell'indifferenza. Si è visto,
attraverso una breve serie di esempi, come gli indifferenti non
riescano ad imporsi come interpreti di tempi "narrativi" e come siano
soprattutto soggetti di tempi e modi "denarrativi". Si è notato come la
commistione di un linguaggio da copione con le "ritrattazioni" della
scenografia attraverso il recupero del paesaggio interiore del personaggio sottolineino la straordinaria capacità di Moravia di piegare la
grammatica ad esigenze di chiarificazione di una disfunzione del reale.

Che cosa ci dice, in sostanza, la "grammatica" degli *Indifferenti*?
Innanzitutto che l'indifferenza è un rovello mentale, prodotto di una
cultura ehe non è in grado di destinare i suoi "soggetti" ad aree di
locuzione e di azione significative, che esistono connivenze profonde
ed infrangibili fra le indifferenze di ciascuno dei personaggi, che il
reale dell'indifferenza è l'immaginario e, per finire, ehe il corto
circuito del sistema psichico dei personaggi trova sempre un preciso

riscontro, una davvero stupefacente tangibilità nella forma del discorso: la decomposizione del quadro sociale, lo sgretolamento del sentimento, l'avvento dell' erotia prorompente sono soprattutto, per chi scrive, dei procedimenti grammaticali.

La grammatica atrofizzata, anestetizzata nelle " stanche ripetizioni di innumerevoli varianze"[13] percorre i ritmi della dissoluzione della coscienza degli individui, incapaci di innalzare le condizioni formali della loro esistenza linguistica poichè incapacitati a trovare "eloquente" ispirazione nelle condizioni materiali della loro esperienza umana. I due codici, espressivo ed esistenziale, permangono così inderogabilmente e tristemente congiunti: quella che di primo acchito era potuta sembrare al lettore una "grammatica dell'equivoco," ovvero luogo di espressione e verifica di un divario fra essere e apparire, fra indifferenza reale e volontà potenziale, fra detto e non detto, fra discorso esperito e discorso immaginato, rivela, in fine di percorso, di esser stata per tutta la durata del racconto e dal punto di vista di chi l'ha ideata, una "grammatica della certezza": certezza che fra essere e apparire non c'è affatto uno iato, che lo "spostamento" dei soggetti nell'ambito di territori grammaticali/esistenziali precari è in realtà una condizione non evolutiva, ma permanente ed incancellabile (e quindi, paradossalmente, "stabile"). Il narratore/autore si è servito della grammatica per rappresentare l'indifferenza, ma non certo per emendarla al fine di proporci un finale edificante. Il racconto si congeda sulla semplice conferma del carattere tragico di quella crisi locutivo-vitale che aveva interamente comunicato, illustrato e contenuto, senza mai illudersi di poterla arginare, fin dal suo esordio.

Commentando la genesi del proprio narrare, Moravia precisa: "Sono uno scrittore che deduce. E deduco anche i personaggi a partire da idee"[14]; "con gli *Indifferenti* ho veramente imparato a scrivere, *ho imparato a creare la cosa con la parola.*"[15] Una dichiarazione così esplicita consente di collocare le radici epistemologiche dell' "esperimento" narrativo moraviano nell'alveo di sicure matrici psicanalitiche. Moravia, assiduo frequentatore di Freud, sembra voler indicare ancora una volta il proprio debito di riconoscenza nei confronti di uno dei suoi "maestri": è lecito presumere che egli si sia rifatto deliberatamente, nel *trattamento* e nella *sistemazione* della propria materia narrativa, e non solo nell'analisi del carattere, del pensiero e delle azioni dei personaggi, alla concezione quantitativa e dinamica dell'inconscio individuata dal fondatore della psicanalisi, e perciò ai meccanismi di condensazione, spostamento, ragionamento erroneo, controsenso, figurazione indiretta, figurazione mediante il contrario, che Freud elencava come caratteristici dei linguaggi privi di destinatario (sogno, lapsus, sintomo nevrotico), ma anche del motto di spirito, linguaggio "pieno" ai fini della comunicazione, anzi "atto di comunicazione verbale cosciente, volontaria e socialmente istituzionale"[16] e cioè "atto letterario" razionalmente costruito e "tendenzioso," fondato sulla ricerca e sull'edificazione di un reticolo di tensioni formali, di cui egli aveva presentato l'analisi capillare nel suo *Der Witz*,[17] testo a lungo trascurato dalla critica, ma che assesta definitivamente le basi del discorso psicanalitico sulla letteratura e dei rapporti tra linguaggio della letteratura e linguaggio dell'inconscio .

Moravia non elabora certo inconsciamente il suo "motto di spirito" e presenta anzi, fin dal 1929, non solo una esplorazione letteraria dei meccanismi dell'inconscio altrui, riattivando e sviscerando narrativamente tutte le sfaccettature del discorso freudiano sulla sessualità, ma specialmente una rigorosa formalizzazione letteraria di quei meccanismi: "ogni minima piega di coscienza, di sensibilità o di sensorialità è tutta tradotta in parole e in immagini che vi corrispondono in perfetta analogia".[18] Fattosi innanzitutto "idea vivente," incarnazione piena della tesi freudiana per cui l'artista è colui che ha la funzione sociale di non essere represso, Moravia si fa soprattutto esemplificatore, interprete e portavoce, attraverso la grammatica dei suoi indifferenti, di quella prima, essenziale "retorica dell'inconscio" di conio freudiano che, solo trent'anni dopo, troverà in Lacan un nuovo, dinamico fautore.

(Manuela Bertone.   Harvard University)

NOTE

[1]Sono da ricordare, tuttavia, il saggio di Lucia Strappini, *Le cose e le figure negli Indifferenti di Moravia* (Roma: Bulzoni, 1978), in cui vengono esaminate le corrispondenze fra connotazioni linguistiche e situazioni narrative, e il volume di Pierre Zima, *L'indifférence romanesque, Sartre, Camus, Moravia* (Paris: Le Sycomore, 1982), in cui la critica ideologica si combina all'analisi semiotica per approdare alla messa a punto di una "sociologia" del testo letterario.

[2]G. Contini, "Introduzione alla cognizione del dolore," in *Quarant'*-

anni d'amicizia (Torino: Einaudi, 1989), 15-35, (cit. 32).

[3]E. Siciliano, *Alberto Moravia. Vita parole e idee di un romanz*iere (Milano: Bompiani, 1982), 179.

[4]Ibid., 41.

[5]Ibid., 40.

[6]A. Moravia, *Le roi est nu. Conversations en français avec Vania Luksic* (Paris: Stock, 1979), 117 (ns. traduzione).

[7]A. Moravia, *L'uomo come fine e altri saggi* (Milano: Bompiani, 1964), 26.

[8]Ibid., 15.

[9]Ibid., 13.

[10]Ibid., 18.

[11]Tutte le citazioni tratte dagli *Indifferenti* si riferiscono alla XIX edizione dei "Tascabili" (Milano: Bompiani, 1990). I corsivi sono nostri.

[12]Oltre agli esempi citati, si vedano i seguenti: "Ah, che bella bambina" (ripetuto due volte, a distanza di poche righe, p. 96); "Il posto dove tutte le bambine mettono i loro segreti" (172); "nonostante tutte le tue fisime sei veramente una gran brava bambina" (193); "Sei una cara bambina" (233).

[13]L. Strappini, cit., 12.

[14]*Le roi est nu*, cit., 36.

[15]Ibid., 38 e 39 (corsivo nostro).

[16]F. Orlando, "Letteratura e psicanalisi: alla ricerca dei modelli freudiani," in *Letteratura italiana*, vol IV (Torino: Einaudi, 1985), 577.

[17]S. Freud, *Der Witz und seine Beziehung zum Unbewussten*, 1905, (trad. italiana, *Il motto di spirito*, Torino: Boringhieri, 1975. Si raccomanda la lettura dell'illuminante saggio introduttivo di Francesco Orlando, 15-29).

[18]L. Strappini, *op. cit.*, 48.

Voyeurism and intertextuality as narrative strategies in Moravia's latest works[1]

Rocco Capozzi

In *L'uomo che guarda* we find some intriguing relationships between Dodo, the main protagonist, and the other central characters (his father, his wife Ada, his friend Pascasie, and his father's nurse Franca). At first, characters and situations appear to be typical Moravian cliches about intellectuals, women, sex, and voyeurism as encountered in previous works. However, as Dodo's actions and thoughts demonstrate, in this novel Moravia wishes to illustrate, above all, his notion of "scopophilia," whereby for every voyeur there is an exhibitionist and for every exhibitionist there is (must be) a corresponding voyeur. Moreover, as we are about to see, "scopophilia," for our author is linked primarily to man's basic desire for knowledge.

As I focus on some of Moravia's scenes of "scopophilia" (usually involving a self-reflexive intellectual protagonist and his wife) I intend to discuss the author's treatment of voyeuristic imageries which, in my estimation, far from reflecting a character's pathological obsession are, for the most part, examples of one of the author's favorite techniques (and metaphors) of narration. The voyeur-exhibitionist relationships which we see described so often in his writings are rarely associated with some sexual fantasies or with a peculiar sexual drive of his characters. In fact, as we see especially in his later novels, Moravia's notion of scopophilia proves to be a key element in the development of both the story and the structure of his fictions. And, equally important, it is directly related to the epistemological (and existential) desire of Moravian narrator-protagonists who seem to be obsessed with wanting to disclose their selves while attempting to know the Other.[2]

In the novels under scrutiny we find male intellectual-narrators who exploit voyeurism as they narrate the psychological and existential dilemmas which they face as they try to cope with the Other (usually represented by a woman, but also representative of reality in general). It should be added that these narrators do not derive any sexual pleasure from their voyeuristic activities. And thus, my contention is that because scopophilia links not only Moravia's narrators to his characters but also Moravia's readers to his texts, perhaps it is mainly the reader who perceives the author's voyeuristic descriptions from an erotic perspective. In short, whereas Moravia's narrators exploit scopophilia in their desire to know something or/and someone, readers, on the other hand, because they are removed from the narrator's personal problems, may view the same acts of voyeurism merely as sexual exploitations of male voyeurs and of female exhibitionists.

Moravia's narrator-protagonists that can be defined as voyeurs are intellectuals --frequently writers-- who spend a great deal of time examining/watching themselves (at times too narcissistically) and who love to gaze at other characters. But, it should also be pointed out that most of them narrate as if they were being watched by others/their readers. In other words, Moravia's voyeur-narrator-protagonists make us aware that looking over their shoulders there are readers who, in their act or reading (as they spy on characters and narrators through the keyhole of the author's page), consciously or unconsciously become the real voyeurs.[3]

Moravia's concerns with narrative techniques, realism, point of view, and above all with the relationships between author, text, characters, and readers, are illustrated extensively in both *L'attenzione* and *L'uomo che guarda*. These two essay-novels, written two decades apart, have in common many more elements than those being examined here. For our discussion it is important to note that throughout both novels we find a narrator (the real author?) who constantly underlines his views on writing modern fictions, almost as if he were trying to justify his own narration.

L'attenzione is undoubtedly one of Moravia's key works in which we find numerous illustrations of the author's views on metanarrative structures and on other narrative techniques exploited by self-conscious narrators. We recall that Francesco Merighi's attempts to write a novel based on the diary-novel being written under the reader's eyes, more than a story about the temptation of incest is in fact an essay-novel about writing fictions. From beginning to end, *L'attenzione* unveils techniques, tools, webs, and traps, inherent in the process of all self-reflecting artistic creations. In fact, at times it appears that Moravia here is less interested in the story and more concerned with disclosing his views on the techniques of reflecting the creative process of metanarrations[4] --a process which, as we know, has its models in various artistic forms. In art we see it depicted by Velas-quez's, in *La meninas*, and in literature we can find it illustrated in different writers such as, Homer, St. Augustine, Dante, Cervantes, Sterne, Manzoni, Gide, and Calvino --just to mention a few names associated with various aspects of *mise-en-abyme* and metanarrations.

Critics normally do not associate the name Moravia with experimentalist writings, even though the author has been one of the most prominent international figures among contemporary Italian writers since 1934. Moravia's better known literary merits[5] usually see him listed as a forerunner of the European existentialist novel (with *Gli indifferenti,* 1929), as an excellent illustrator of psychoanalytical themes (beginning with *Agostino,* 1944), and as a writer concerned with the dangers of a consumeristic bourgeois society in which all humanistic values disappear while materialistic interests take over.[6] But, in Moravia's fictions we can also find the author's experiments with old and new narrative techniques --including recent ones associated with postmodern novels.[7]

In *L'attenzione* Moravia deals explicitly and emphatically with narrative strategies because this novel is in part the author's reaction to the accusations of some of the members of the "Gruppo 63" who had ridiculed his alleged old fashion bourgeois style of writing.[8] However, even in this metanarrative *divertissement* Moravia returns to some of his most familiar motifs, such as: juxtaposition of life and literature, intertextual references, myths, Oedipal triangular structures, voyeurism, dreams, psychoanalytical allusions, deteriorating love relationships, writing/narrating as a vicarious or therapeutical ex-perience, art and literature as a sublimation of hidden drives and desires, problems of communication between men and women, and the inescapable condition of alienation afflicting modern man (and in particular, intellectuals).

L'attenzione, I would agree, is not one of Moravia's best or most original fictions. Nonetheless, I feel that it is an important one for a number of reasons. It underlines certain leitmotifs which are being developed while the author is experiencing both a personal and a literary crisis. It shows his way of dealing with what John Barth later on defines as "The literature of exhaustion" and "The Literature of Replenishment"[9] in connection with postmodernist metafictions. It provides an answer to those critics who considered him an established bourgeois writer who had nothing new to say. It illustrates his own notion of what a *nouveau roman* could be. And, most important for our discussion, it sends his readers back to *L'amore coniugale* and *Il disprezzo* --two brief novels which had gone almost unnoticed by critics, but which are essential in any overall analysis of Moravia's characters, themes and techniques associated with self-reflexive narrator-protagonists who fabulate their difficult relationships with women.

For over twenty years Moravia had focused on existential themes such as "indifference," "alienation," "conformism," and "boredom," on psychological issues related to adolescence and first sexual experience, and on his initial belief that authenticity and sincerity could still be found in the proletarian class.[10] But, by the early Sixties, in the period of the Italian economic and industrial "boom," as Moravia begins to show his disillusionment with members of the working class and with the whole notion of (Marxist) political *engagement*,[11] he became increasingly preoccupied with the condition of despair[12] which afflicted his intellectual-protagonists (and, I would add, himself).

In *L'attenzione* we are told that the narrator's sense of despair derives from his family situation (specifically, from his failed marriage) and from feeling unhappy with his (literary) work and with himself. Without discussing the importance of the autobiographical elements present in this novel, we should point out that Francesco Merighi's deliberate "unreliable narration"[13] of a diary-novel --a mixture of *attenzione* and *disattenzione*, and of truths and narrative lies-- begins with some clear allusions to Moravia's own personal difficulties experienced in the early Sixties. Merighis's predicaments seem to echo quite clearly Moravia's (then) recent separation from Elsa Morante,[14] his disagreements with critics and fellow writers of the *Gruppo 63*, and his (ideological?) dissatisfaction rooted in having to work as a journalist, or script writer --the author had wanted to pursue his theatrical ambition of a playwright. These are the difficulties which also tormented Merighi's predecessors: Silvio Baldeschi, the aspiring young novelist of *L'amore coniugale*, and Riccardo Molteni, the playwright of *Il disprezzo*. In short, all three narrator-protagonists are intellectuals who experience psychological and ideological despair at a time when their marital relations are deteriorating and while they are undertaking jobs which entail the selling of their services to those who exploit everything and everyone for a profit. Furthermore, in their despair we perceive feelings of jealousy and an overall sense of impotence as they watch their wives drift away. Finally, these are key motifs that we find, over and over again, in subsequent works, right up to Moravia's posthumous novel, *La donna leopardo*, 1991.

Moravia's presentations of voyeurs and impotent intellectuals who become prisoners of their own self-awareness date back to his first novel, *Gli indifferenti*. And with the exception of Michele in *La ciociara* (an intellectual considered a *fesso*, "a fool,"[15] by his own father), the author has repeatedly and consistently portrayed his intellectuals almost as parodies of Hamlet --that is, as characters who contemplate, continuously, their problems and their predicaments, to the point of becoming paralyzed by their own (excessive) self-consciousness. Short of being a masochist, a typical Moravian intellectual suffers incessantly from a psychological problem which echoes Hamlet's confession: "Thus conscience does make cowards of us all" (III, i).[16]

After Hamlet, Orestes and Oedipus are the most significant literary figures recognizable in the background of Moravia's novels where we find intellectuals trapped in a psychological dilemma, or in the existential (and certainly Pirandellian) struggle between living (acting) and seeing oneself living. The numerous allusions to Hamlet, Oedipus and Orestes, from *Gli indifferenti* to *La donna leopardo* would require a separate study. Here it is sufficient to note that echoes of Hamlet's psycho-existential problems (connected with marriage, infidelity, Oedipal struggle, vengeance, introspection, etc.) are most evident in the voyeuristic manifestations of the narrator-protagonists under scrutiny --that is, in *L'amore coniugale*, *Il disprezzo*, *La noia*, *L'attenzione*, *1934*, *L'uomo che guarda*, and *La donna leopardo*.[17]

Considering the history behind the fabulation of *L'attenzione*, it is quite possible that the novel became in many ways a parody of some novels of *l'école du regard*.[18] Nonetheless, as the author goes on to demonstrate even better in *L'uomo che guarda*, Merighi's voyeurism[19] is quite different from Robbe-Grillet's.[20] We would agree that Moravia departs from traditional illustrations of voyeurs involved in a "one way" act of gazing or spying, mainly because his voyeurs are fully aware that they are being looked at (and possibly being judged) while they are spying.

In the scene of the mirror-game where Baba and Francesco see each other without being seen, Moravia begins to exploit elements of voyeurism which will become familiar narrative strategies for the self-analysis of his future narrator-intellectuals. Moreover, in Merighi's games of self-reflections which condition his actions and thoughts (as a narrator-protagonist of his diary-novel), the author seems to include the conditioning factor of the narrator's awareness of the presence of a reader during the act of writing. This whole intricate process of reading, writing, narrating, and feeling conditioned by others/readers and by the reading of other texts/authors is at the very center of *L'attenzione*. We need only to note how often Merighi makes explicit references to how his diary is conditioned by his readings of Freud and by the novel he intends to write. Of course the reader's interpretation of Merighi's dreams are also conditioned by being cognizant that the narrator is reading Freud's *Interpretations of Dreams* before going to sleep. And thus both the narrator and the reader become entangled in the vicious circle of inner-reflections of *mise en abyme* and metafictions.

It cannot be denied that Moravia's voyeurs are for the most part men (usually intellectuals), and that his exhibitionists are usually women (in most cases housewives, or women with no specific profession). This is in fact just another reason why Moravia's alleged exploitation of women and sex has attracted so many polemics. However as the author has always kept in tune with, if not a step ahead of, the sexual revolution in the arts and in society, I would question a criticism which maintains that starting with the few inches of thigh exposed by Carla's short skirt, in the opening pages of *Gli indifferenti*, Moravia moved from an acceptable "soft" form of eroticism, to, what some have considered, offensive "hard core" sexual descriptions. If, we exclude the stories of *La cosa* (perhaps written simply to scandalize the prudes), one should examine his works carefully and see if, in the sixty years of writing, as he desecrates many bourgeois sexual taboos, Moravia uses sex as a means or as an end. Furthermore, in his depictions of voyeur-exhibitionist relationships one should investigate if the author shows male subjects who exploit female objects, or if indeed he is not portraying the weaknesses of his protagonists.

Lidia Crocenzi has given a fairly objective interpretation of Moravia's distorted images of women. However, I do not think that many feminist critics who have followed her study have given an equally interesting literary analysis[21] of our author's work. In general, feminist critics have focused almost exclusively on Moravia's descriptions of women as objects, or as inferior beings whose existences are justified mainly in function of their role as pleasers of men. Any serious study (feminist or otherwise) should not overlook Moravia's love for expressionistic descriptions (often reminiscent of artists like G. Groszt, O. Dix, and E. Schiele) of both men and women. Dacia Maraini, a dedicated feminist who lived for many years with the author, defends Moravia --as man and as a writer-- maintaining that although he was certainly not a feminist, and that at times he was quite brutal in his descriptions of women, he was neither antifeminist nor pornographic.[22] Moravia has made clear his distinction between eroticism and pornography,[23] and I feel that his works illustrate quite well his affirmation: "Per me il sesso è da una parte un 'dato' un fatto oggettivo, e dall'altra la metafora per raccontare."[24]

My contention is that from *Gli indifferenti* to *La donna leopardo* Moravia has used images of voyeurs, exhibitionists, women, money and sex not as an end but as a means of illustrating a basic feature of human nature: the desire to control or to possess the Other. *La noia* is one of the better examples of this key Moravian motif. Here, Cecilia, far from resembling a sexual object (or an empty woman), proves to be a perfect model of a Moravian enigmatic woman who allows men (like Balestrieri and Dino), to physically (sexually) take her, but who never allows herself to be possessed (owned) by them. But the symbolic and existential relationship between Dino (the despairing artist) and Cecilia (symbol of instinct and freedom) can be extended to narrators and characters of other novels, such as *Il disprezzo*, *L'uomo che guarda* and *La donna leopardo* where we find despairing intellectuals tormented by the silence and by the behavior of women who, like beautiful felines,[25] affirm their freedom and independence.

Before I discuss Moravia's voyeurism and intertextuality in his latest works we need to take a brief look at *L'amore coniugale* and *Il disprezzo*, because it is from these two novels on that we notice the author's increasing focus on frustrating relationships between intellectuals and their wives and on narrator-protagonists who mirror, juxtapose or deliberately fuse life with literature and art. It is also in these two novels that we begin to note Moravia's tendency to structure his fictions as *mise en abymes* of stories in which the narrator-protagonist's self-reflection is mirrored both intratextually (in the work he is writing --in his own self) and intertextually (in other artists' works --in Others). Furthermore, both novels provide us with examples of voyeurism that Moravia will go on to elaborate in his notion of "scopophilia," defined in *L'uomo che guarda*.

Shortly after his marriage with Elsa Morante in 1941, beginning with the composition of the short story "L'amante infelice" (1943) and of the novel *L'amore coniugale*, the author starts to highlight stories of deteriorating marital relations of narrator-protagonists who are writing about difficult marital situations between intellectuals and their wives. Silvio Baldeschi, in *L'amore coniugale*, is an aspiring novelist who writes a mediocre story about a man who experiences his first difficulty in his marriage. Immediately after their honeymoon, Silvio and Leda move to a small village where Silvio can work on his writing. In the middle of the story Leda asks her husband to fire his barber Antonio because he is making passes at her. Silvio refuses to do so telling Leda that she is misjudging the barber's actions. As the story comes to an end we find Silvio spying on Leda and Antonio as they meet, under the moonlight, for a sexual encounter.[26] Silvio finally realizes that he has not behaved like a real husband and, not knowing how to react, he decides to end his writing and to go back home. Unsure of the quality of his novel Silvio asks Leda to read the story and to give him her honest criticism. Leda's answer is that if his narrative is weak it is because he has failed to understand (to really know) his characters.[27] Leda (just as the reader), has no problem in noticing the autobiographical dimension of her husband's story. The main characters of Silvio's fiction, which carries the title "Conjugal Love," are, much too obviously, mere reflections of Silvio and Leda.

Echoes of Silvio Baldeschi will be found in Riccardo (of *Il disprezzo*), in Francesco (of *L'attenzione*) and in similar characters of later novels. These characters have all a tendency to recall known images from art and literature[28] and to juxtapose them to their own narcissism, dreams, contemplative nature, sexual experiences, and existential crisis. Images which, when viewed intertextually, function as mirrors, or even as parodies, of the stories that the narrator-protagonists are (re)constructing in their fabulations. Another significant characteristic shared by these protagonists is their belief that in order to be more effective in their artistic creations they must sublimate their libido.[29] However, as the stories show, the moment the narrator abstains from having sex with his wife, both his creativity and his marriage deteriorate --while the woman falls in the arms of a lover who has different qualities from her husband's. The lovers are usually men who, like Leo Merumeci of *Gli indifferenti*, represent the so called category of the *furbi* --that is, of "cunning" men always ready to act, and who are sure of themselves. In *L'amore coniugale* Antonio is a Leo Merumeci type of character who, as disgusting as he may be, becomes the lover of what some feminist critics would consider a stereotyped Moravian female protagonist who consumes her sexual desires with men who act rather than think.

In addition to stereotyped lovers, in Moravia's love triangles we also find the following recurring characteristics about intellectual husbands and bored wives: a) the woman/wife, even when quite appealing, she is never perfect nor of outstanding beauty. She usually acts according to her instinct and not according to conventional social morals; b) it is usually the husband who introduces his wife (often against her will) to the man with whom she will be unfaithful; c) even after the husband sees his wife with another man, he will continue to contemplate and to fantasize about his wife's reasons for being unfaithful and about his possible course of action.

In *Il disprezzo* Moravia introduces additional elements which underline the jealousy and the sense of impotence felt by the intellectual who watches his wife drift away from him. And whereas in *L'amore coniugale* Leda's displeasure with Silvio's behavior was not emphasized, in *Il disprezzo* Emilia's contempt for her husband Riccardo is reiterated throughout the novel. Early in the story, as Emilia realizes that her husband has no courage, we can deduct that the title of the novel refers specifically to her feelings towards Riccardo's weak character.[30] Emilia considers her husband responsible for her infidelity and she appears to lose all respect for him the moment he accepts to watch, impotently, as his employer (Battista) takes his wife under his very eyes.

The first traces of "scopophilia" in *Il disprezzo* appear when Riccardo sees Emilia in the arms of Battista and at the same time notices that Emilia can also see him spying on them: "Poi ella guardò dalla parte della finestra, mi parve che i nostri occhi si incontrassero, la vidi fare un gesto di dispetto e ... uscire in fretta dalla sala" (168). Moreover, as the story proceeds, the reader is made aware that Emilia's reaction to Riccardo's behavior is analogous to (or better, it is mirrored in) Penelope's contempt for Ulysses, or at least to Rheingold's psychoanalytical interpretation of Penelope. We recall that Riccardo Molteni is a playwright who in order to make some extra

money to pay for a house[31] that, supposedly, Emilia desires, decides
to accept a temporary job, as a script writer, from the film producer
Battista. The job entails working with the German director Rheingold
who is filming an episode of the *Odyssey*, based on his interpretation
of the causes of the marital difficulties between Ulysses and Penelope.

This and other intertextual strategies are all linked to Riccardo's practice of mirroring his jealousy and his unhappiness in the
works of Freud, Homer and Nietzsche. But Riccardo uses primarily
Rheingold's superficial psychological analysis of the *Odyssey* to
conclude that Penelope (like Emilia) represents primitive emotions,
and that Ulysses (like himself) stands for modern rational men.[32]

1934 is Moravia's metanarrative and intertextual fiction
literally saturated with a variety of activities associated with the notion
of "scopophilia." The intellectual-protagonist of *1934* is Lucio, a
young writer who wishes to write a novel in which he can "stabilize"
his despair: "...da anni ero ossessionato dall'idea di 'stabilizzare' la
disperazione. Soffrivo di una forma di angoscia che, appunto consisteva nel non sperare nulla [...] Qui interveniva il romanzo che avevo
l'intenzione di scrivere" (24-25).[33] For Lucio the act of writing is
intended explicitly as a therapeutical experience through which he can
free himself of the obsession to commit suicide: "... mettere in piedi
un personaggio sul quale scaricare l'ossessione del suicidio" (26). The
story opens as Lucio is on his way to Anacapri. On the boat he meets
a young German girl, whom he calls Beate (later on we discover that
she is an actress), accompanied by her (alleged) husband, Mr. Müller.
Midway through the novel Lucio meets Beate's (claimed) twin sister,
Trude, who is accompanied by a woman (supposedly her mother). Just
as in *L'attenzione*, in *1934* readers must try constantly to discern
thoughts from action and dreams from reality, in a continuous
interplay of doubles (or split-selves), and of characters divided
between action and contemplation, eros and thanatos. This is because
both Lucio and Beate fuse freely life with art and literature. On
various occasions we find Lucio quoting passages from Nietzsche and
von Kleist, as he tries to communicate with Beate, and as he attempts
to impress her in order to possess her.

1934 begins as an existentialist story about Lucio's despair,
but after a few pages it soon turns into a metafiction about "scopophilia." In addition to the intriguing relationship between Lucio and the
twin sisters we find a number of complementary, sado-masochistic,
relations between Beate and her husband, Lucio and Sonia, and Sonia

and her boyfriend (the waiter). All these characters, in various degrees, share some characteristics of voyeurism, exhibitionism, sadism, or masochism. However, the key scenes of "scopophilia" are centered around several incidents in which Lucio is noticed by the Müllers, as he follows the couple, spying on them (especially during their affectionate embraces), in different place of Anacapri. The most important scene takes place on the beach where Lucio, hiding behind a rock, watches Beate as she undresses and poses nude (imitating "the Venus" of Botticelli) for her husband who is taking photos:

> Adesso essi sapevano che, da qualche luogo, io li spiavo; al tempo stesso, come pareva, si comportavano con la perfetta libertà di chi non sospetta di essere spiato. Così io dovevo spiare con la tranquillità di chi si vede invisibile; e loro dovevano esibirsi con l'innocenza di chi non si sa osservato... loro sapevano benissimo che c'ero; ma, come il giorno prima al caffè, avevano deciso di comportarsi come non ci fossi. Questa supposizione era la piu dolorosa, perchè sottointendeva una totale complicità di Beate col marito contro di me (76).

Lucio, finally, becomes aware of having been drawn into their game of "scopophilia," and concludes that it is undoubtedly Müller's great pride of his wife's beauty that makes him exhibit her nakedness to others:

> Müller, innamorato della moglie e fiero della sua bellezza, aveva voluto che l'ammirassi anch'io, atteggiata da Venere e completamente nuda. Certo, la "lezione" era il motivo che lui dava a se stesso per questa specie di esibizionismo coniugale (79).

Lucio's conclusion is important to our discussion because it sheds light on similar cases of pride shown by several other Moravian characters appearing in the novels written between *L'amore coniugale* and *La donna leopardo*.[34]

The publication of *L'uomo che guarda*, soon after *1934*, is quite easy to understand. Both novels deal openly and extensively - with the notion that voyeurism is a vehicle (a metaphor) for narrating.[35]

In *L'uomo che guarda* Moravia returns to his favorite ambience --contemporary Roman bourgeois settings-- as he accentuates, magnifies and multiplies games and reflections of voyeurism and exhibitionism already treated in previous novels. Here the interplay of a myriad of gazes begins in the opening pages, as the narrator-protagonist[36] looks at himself in the mirror, and it continues throughout the entire the novel as Dodo, his wife Silvia, his father, the maid/nurse Fausta, and the African girl Pascasie, all behave like voyeurs or exhibitionists. In the midst of so many scenes of people who are all looking at (or spying on) each other, we find several significant passages where the narrator mirrors his own self, and his voyeuristic tendencies either in the act of writing/narrating his own story or by recalling scenes of voyeurism from literary texts of Mallarmé, Proust, and Herodotus. Dodo has no problem in satisfying his voyeuristic activities precisely because of the exhibitionist nature of his father (who is well endowed sexually), of Silvia (who is lustful), and of Fausta and Pascasie (who are always ready to accomodate Dodo's curiosity, even when he does not carry his camera).

The orgy of gazes (*sguardi*) develops as we follow Dodo, a university professor who, already preoccupied with the fear of an imminent nuclear holocaust, becomes obsessed with an Oedipal struggle. In his despairing conflict Dodo must fight his father's authority and, just as frustrating, he must prove his suspicion that his father (who likes to possesses women in a particular fashion --*more ferarum*), has become his wife's lover.[37] Thus, it comes as no surprise that Dodo (a man who spends most of his time looking at, contemplating, dreaming, fantasizing, rationalizing, or simply imaging events and conversations) should maintain that voyeurism and "scopophilia" are at the origin of cinema and literature:

> il voyeurismo sarebbe all'origine di gran parte della narrativa e, ovviamente, del cinema [...] il voyeur non tanto spia l'oggetto quanto il suo movimento cioè il suo comportamento [...]
> Il romanziere oltre a farci vedere ciò che tutti potrebbero vedere, spesso ci fa vedere ciò che nessuno potrebbe vedere, a meno di essere, appunto, un voyeur (39).

But, even more pertinent to our discussion are Dodo's remarks about the role of voyeurism in Herodotus's story of King Candaules and in Proust's novels. Dodo's observations on voyeurism, as we are about to see, become pivotal in the fabulation of *La donna leopardo*.

> Questo voyeurismo del narratore è spesso sdoppiato dal
> voyeurismo di un personaggio scopofilo, come per esempio
> nella nota scena di Proust nellaquale Ms. de Charlus è spiato
> dal marchese... Ma la scena per eccellenza voyeuristica è
> quella di Erodoto in cui la regina è spiata, mentre si spoglia,
> dal favorito del re Candaule e dal re stesso. Questa scena è
> doppiamente scopofila perché il re spia il favorito mentre
> costui spia la regina. Inoltre il voyeurismo, nell'episodio di
> Erodoto, non serve da pretesto come in Proust, ma ne
> costituisce il tema (40).

As I conclude with *La donna leopardo*, perhaps one of
Moravia's better short novels,[38] we see that in his last novel the author
has basically rewritten about characters and situations which are much
too familiar. The story of Lorenzo --another intellectual who watches
impotently as his wife falls in the arms of a lover-- by now, sounds
like a Moravian cliche[39] Here too, the reader notices immediately the
insistence on descriptions which deal with eyes, looking and spying.
And if it were not for the difference in the geographic setting --here
we are in Africa and not in Capri-- this last narrative would resemble
even more the story of *Il disprezzo*.

In *La donna leopardo* we learn immediately that Lorenzo --yet
another intellectual-protagonist-writer-- convinces his wife (against her
wish) to meet his employer Colli and to travel all together to Africa,
where he intends to write a series of articles for a newspaper. But here
we find a fourth member added to the traditional love triangle which
makes the game of looks and reflections a little more intriguing.
Lorenzo, already jealous because his wife Silvia is drawn closer and
closer to the successful businessman Colli, is tormented by Colli's
jealous wife, Ada. From the second chapter Ada entices Lorenzo to
make love to her --just to get back at Silvia and Colli. As far as Ada
and Lorenzo are concerned Silvia and Colli have become lovers. But,
this game of infidelity has an element of suspense. After numerous
scenes of voyeurism, the reader (just as Lorenzo and Ada) await,
curiously and impatiently, to see Silvia and Colli make love. This does
not happen. The novel ends with Colli's tragic death and with Lorenzo
having to accept the fact that he will never know what really took
place during Silvia and Colli's private encounters. Nora proves to be

a strong woman who knows how to keep secrets and who succeeds in keeping her personal life a secret.

Intertextual references and images here are centered mainly around Herodotus's story. This is understandable, because it is precisely through the characters of Candaules and Gyges[40] that Lorenzo analyzes his own pride and jealousy. However, Colli's stories about primitive people and about the myth of the "woman leopard" are also significant as they help Lorenzo to (re)examine his own condition of a modern man, and, naturally, to reflect on his relationship with his own "woman leopard," Nora.

The interesting conclusion of *La donna leopardo* may make us review the ending of other novels in which a man finds himself at an impasse in his relationship with a woman. And because this short novel does recall other relationships, such as between Silvio and Leda, Riccardo and Emilia, and Dino and Cecilia, Lorenzo's admission of having misjudged Nora should sends us back to other works where we find intellectuals despairing, dreaming and fantasizing about their deteriorating marital relationships. Lorenzo's reaction to Nora's explanation of her silence (and of her whole behavior) may also shed some light on the feelings of jealousy and impotence which afflict his predecessors. Furthermore, in Nora we recognize many other Moravian women described through animal imageries. Nora seems to embody many, if not all, of the qualities that Moravian intellectuals attribute to women, and, in particular, to their wives. Nora (at times a carbon copy of Silvia), is often described as: half madonna-half whore, secretive but not conniving, full of contempt for her husband but willing to satisfy his sexual needs, and consenting to share her body but not her secret emotions or thoughts. Perhaps, much better than Emilia and Cecilia, Nora can help us to understand the author's intentions in exploiting situations in which a male intellectual looks, observes and spies on a woman (the Other), expecting to find answers in/from her. But, as we have seen so frequently in Moravia's narratives, the main problem of communication between men and women lies in the fact that many male protagonists are so preoccupied (too narcissistically) with their own self that they actually do not try to understand the feelings, emotions, instincts, strength, weakness, and needs of the Other.[41] And thus it makes us wonder if in *La donna leopardo* Moravia is not suggesting that the bitter truth that Lorenzo discovers about himself may also hold true for Silvio, Riccardo, Francesco, Dodo, and other intellectuals like him? At the end of the novel Lorenzo is faced with the choice of either leaving Nora or accepting her as she is, with all the imperfections which he attributes to her. In accepting Nora, Lorenzo appears to recognize his own faults, much more so than he may be justifying those of his wife.

Moravia died before he could complete the final version of *La donna leopardo*, but I doubt that this short novel was intended to close his long cycle of narratives which exploited leitmotifs of voyeurism, scopophilia and intertextual reflections while focusing on intellectuals who fail to understand others and reality in general. What is clear in this final narrative is that Moravia's repetitious voyeuristic images (which at times have appeared to be too artificial or much too predictable) are part of his favorite narrative strategies used to fabulate metafictional stories in which he also analyzes social and existential themes. Notwithstanding, *La donna leopardo* is also proof that Moravia firmly believed that many writers do indeed rewrite the same novel over and over again.

In *L'uomo che guarda* Moravia argues that scopophilia is at the origin of man's desire to unveil mysteries. I would argue that in most of his novels saturated with mirrors, windows, diaries, memories, travels, dreams, gazing, spying, narcissism, and self-conscious voyeurs, we find an intellectual narrator whose main interest lies in analyzing himself in relation to others. Quite often Moravia's intellectual is in many ways like a modern Ulysses, always travelling and not completely at peace with himself as he continuosly looks for answers. Moreover, he manifests a real need to constantly (re)examine his rapport with "the Other" --and especially with a woman. From Michele of *Gli indifferenti* to Lorenzo of *La donna leopardo*, Moravia's intellectuals are all fully aware that by deciding not to act and by choosing instead to contemplate the reality which confronts them, they also choose to appear in the eyes of others as impotent voyeurs, or, at best, as parodies of Hamlet.

(Rocco Capozzi. University of Toronto)

NOTES

[1]This article is a condensed version of a chapter, from a work in progress, on Moravia and Morante's narrative strategies, and on their art of using repetitions, leitmotifs, and elements of autobiography. The pages on *L'attenzione* were read at the meeting of AAIS, at the Univ. of Michigan, in the Spring of 1991.

Moravia's novels have all been published by Bompiani, Milano. The dates following the titles of the novels cited and discussed in this paper indicate the date of their first publication. The second date refers to the edition which I have used. In parentheses appear the title of the English translations.

Gli indifferenti, 1929 (*Time of indifference*)
L'amore coniugale, 1949, 1953 (*Conjugal Love*)
Il disprezzo, 1954, 1974 (*A Ghost at Noon*)
La noia, 1960 (*The Empty Canvas*)
L'attenzione, 1965 (*The Lie*)
1934, 1982 (*Nineteen Thirty Four: a novel*)
L'uomo che guarda, 1985 (*The Voyeur: a novel*)
La donna leopardo, 1990
L'uomo come fine, 1964. Essays (*Man as an end*)

[2]For an excellent discussion of "scopophilia and epistemophilia" see Peter Brook's "The body in the field of vision." *Paragraph* 14 (March 1991) 46-67. See also Freud's discussion on scopophilia in *Three essays on the theory of sexuality* (1905), SE, VII.

[3]Moravia's experiments with metanarratives have received little attention, even after Mario Perniola recognized *L'attenzione* as one of Italy's best examples of metafiction (See: *Il metaromanzo*, Milano: Silva, 1966). Fifteen years later, when Italo Calvino amazed many readers with his metanarrative masterpiece, *Se una notte d'inverno un viaggiatore* (*If on a Winter Night a Traveller*,1981), critics made no mention that other Italian writers, like Alberto Moravia, or Giuliano Gramigna (see his *Il testo del racconto*, Milano: Rizzoli, 1975) had illustrated in different ways this fascinating self-reflecting process of narration which involved authors, narrators and readers. For an overall view of metafictions and *mise en abyme*, see: Lucien Dallenbach, *Le récit spéculaire. Essai sur la mise en abyme* (Paris: Seuil, 1977), and Linda Hutcheon, *Narcissistic Narrative. The Metafictional Paradox* (N.Y: London: Metheun, 1984)

[4]In an interview, Moravia confirmed that Francesco Merighi is an important character because in his relationship with Cora, with Baba, and with his diary-novel, we can examine the rapports that an intellectual has with reality in general. See, Giulio Nascimbeni: "Moravia e il suo nuovo romanzo. Questo personaggio può dire la verità." *Corriere della sera*, 23

maggio 1965.

[5]For an overall picture of Moravia's reception in Italy see Ferdinando Alfonsi's *Alberto Moravia in Italia. Un quarantennio di critica (1929-1969)*. Catanzaro: A. Carello Editore, 1986; and *An annoted Bibliography of Moravia Criticism in Italy and in the English-Speaking World* (1929-1975). New York: Garland Pub., 1976.

[6]Intellectuals that feel conditioned in/by a consumeristic society can be found in *Il disprezzo, L'attenzione, L'uomo che guarda* and *La donna leopardo*.

[7]Moravia's best literary essays have been collected in *L'uomo come fine*. However, among his numerous interventions on the state and future of the novel I would include his answers in "9 domande sul futuro del romanzo" in *Nuovi argomenti*, 38-39 (1959), his interview on *L'attenzione* (see note 3), and the brief article in *Il Corriere della sera* (14 agosto 1987), which precipitated a number of debates taken up by other Italian writers and critics on the state of the novel. For a summary of these discussions see my *Scrittori, critici e industria culturale*. Lecce: Manni, 1991. Moreover, it should be noted that Moravia has often referred to *L'uomo che guarda* as his postmodern novel. I think the author could have rightly claimed that his postmodernism dates back to *L'attenzione*.

[8]At the first meeting of the "Gruppo 63," in Palermo, Moravia, Cassola and Bassani, became the main targets for writers and critics (such as Eco, Barilli, Malerba, Sanguineti, and Giuliani) who in their support of a new and experimental way of writing, looked for new models in the promoters of the *nouveau roman*, as well as in german and american novelists. Moravia resented the accusations and immediately got to work on the completion of *L'attenzione*, in order to show that he was anything but a traditional bourgeois narrator.

[9]John Barth's well known articles appeared 13 years apart in *The Atlantic* (August 1967, 29-34, and January 1980, 65-71). Both are considered as milestones in postmodern criticism. But speaking of metafiction, it is important to note that in an article where he reveals why and how he composed *L'attenzione* (see: "Appunti per *L'attenzione* (*Nuovi Argomenti*, marzo 1966, 3-13) Moravia speaks about the crisis of narrators and he rejects the idea of *esaurimento*, "exhaustion," which supposedly was afflicting the novel. Moreover, as he explains the role of Merighi as a narrator-protagonist he also defines his notion of a metanovel: "Il romanzo del romanzo non è altro che la terapia del romanzo, mandata ad effetto con i mezzi del romanzo stesso. Il romanzo è o sembra malato e non tanto di anemia ed esaurimento,

come molti credono, bensì di avvelenamento o intossicazione, ossia di una inevitabile e organica disonestà rappresemtativa, consistente ... nella confusione del soggetto con l'oggetto. L'operazione terapeutica che si chiama romanzo del romanzo porterebbe ad una divisione del soggetto dall'oggetto, ad un ripristino della rappresentazione oggettiva e distaccata" (10).

[10] See above all *La romana*, *Racconti romani* and *La ciociara* (*The Woman of Rome*, *Roman tales* and *Two women*).

[11]This is around the same time when Moravia begins to diverge from Pasolini's philosophy (his mystic views) on the working class.

[12]The word despair will appear in practically all of his writings from the late Fifties on.

[13]Merighi's continual affirmations and denials of what is true and what is invented in his diary novel, make him an "unreliable narrator" (to use Wayne Booth's definition from *The Rhetoric of Fiction*). However, it must be pointed out that Merighi's "unreliability" is deliberate, because he is not an omniscient author. Merighi is one of the main characters of *L'attenzione*, completely immersed in (and conditioned by) the events being narrated. See Moravia's explanation of this choice of narrator-protagonist in "Il romanzo del romanzo. Appunti per *L'attenzione*," *Op. cit.*.

[14]Moravia and Elsa Morante met in 1939 and were married in 1942, but soon after their marriage they began to experience the psychological tortures of a love-hate relationship that continued even after their separation, in 1962. The couple was never divorced. Morante died in 1985. Moravia lived common-law, first with Dacia Maraini, for eighteen years, and later with Carmen Llera.

[15]Throughout Moravia's novels the so called "furbi" ("shrewd" characters who act, like Leo of *Gli indifferenti*, or Antonio of *L'amore coniugale*, right up to Colli of *La donna leopardo*) appear to have the upper hand over the "fessi" (the contemplative characters --especially intellectuals who, from Michele of *Gli indifferenti* on, chose contemplation over action). Consequently, one could think that Moravia has repeatedly depicted the defeat of intellectuals who fail to act. However, as the author explains in *L'uomo come fine*, acting for the sake of acting has moved man closer and closer to his own destruction.

[16]As we recall, in the famous soliloquy, "To be or not to be" (III, i), after debating "Whether'tis nobler in the mind to suffer /The slings and arrows of outrageous fortune, /Or to take arms against a sea of troubles," the

Danish prince concludes: "Thus conscience does make cowards of us all."

[17]The voyeuristic scenes which appear in *Il viaggio a Roma* (1988) and *La villa del venerdì* (1990) are not treated in this discussion.

[18]Before his disagreements with the members of the Gruppo 63 Moravia had not spoken against *l'école du regard* nor had he commented on Robbe-Grillet's *Le voyeur* (1955). *L'attenzione*, besides being a reply to his critics, is also a clever parody of *l'école du regard*.

[19]One of the first North American articles on this subject is Olga Ragusa's "Alberto Moravia: Voyeurism and Storytelling," *Narrative and Drama* (Paris: Mouton, 1976. Pp.122-133). Ragusa's discussion is picked up, a few years later, by Aime O'Healy in "*L'uomo che guarda* or the art of scopophilia," *Italian Culture*, Vii (1990), 405-413.

[20]In the Fall of 1986, at the Toronto Harbourfront Festival of Authors, where Moravia read from some of his works and presente *The Voyeur: a novel* (N.Y.: Secker & Warburg, 1986), I had a chance to speak to the author and ask him if he was happy with the title of the translation of *L'uomo che guarda*. I asked if it did not create some confusion, as it duplicated the title of Robbe-Grillet's famous novel? Moravia agreed that the choice was definitely not the best, but more importantly, he argued that there are a lot of differences between Robbe-Grillet's emotionless voyeur and Lorenzo --the "man who watches" people and events, feeling his impotence, his anguish and his state of despair.

[21]It is sufficient to mention Liliana Caruso and Bibi Tomasi's *I padri della fallocultura* (Milano: Sugarco, 1974) and, more recently, Sharon Wood's *Woman as object. Language and Gender in the Work of Alberto Moravia* (London: Pluto Press, 1990).
Much more interesting are some of the observations in Carla Ravaioli's interview-essay: *La mutazione femminile* (Milano: Bompiani, 1975). Here Moravia intervenes with his own explanations while Ravaioli comments on various images of women in his novels.

[22]Maraini's defense is reiterated in my "Incontro con Dacia Maraini" in this volume.

[23]See Moravia's views in "Erotismo in letteratura,"now in *L'uomo come fine*, 207-210.

[24]From an interview with Nico Orengo, in *Tuttolibri*, 18 maggio 1985.

[25]Incidents in which Moravia attributes animal qualities to women are far too numerous to be listed here. But, the most revealing image of a feline-like woman appears in *La donna leopardo* where Nora is compared to Lorenzo's mother's cat: "A questo punto Lorenzo ricordò l'atteggiamento analogo di un suo gatto in casa dei genitori... E' egoista, vuole ricevere e non dare...è bello, si lascia guardare, non vuole dare di più" (110).

[26]Avrei voluto non guardare, se non altro per rispetto verso me stesso, e invece spalancavo gli occhi avidamente.... Vidi l'uomo, dopo che Leda si era rimessa in piedi, afferrarla per le bracia cercando di attirarla e lei torcersi e resistere, tirandosi indietro. La luna le illuminava il viso e allora vidi che era tutto sconvolto da quella muta e accesa smorfia che altre volte avevo già notato" (*L'amore coniugale*, in *Romanzi brevi*, Milano: Bompiani, 1967; 449-450). Silvio's concern with Leda's facial expressions during her sexual activities are re-echoed in subsequent novels, and especially in *La donna leopardo*.

[27]Leda explains to Silvio that the story is not convincing because: "quando hai scritto il racconto non conoscevi abbastanza bene me e neppure te stesso [...] soprattutto me, mi hai rappresentata come non sono... troppo idealizzata" (464).

[28]Some of the artists and writers which are recalled, or even quoted, in the novels under scrutiny are Botticelli, Goya, Kandinski, Homer, Herodotus, Freud, Nietzche, Proust, and Mallarmé.

[29]The theme of the intellectual divided between his sexual drive and his thirst for success is amply illustrated in many of Moravia's works. The short story "Il diavolo non può salvare il mondo," published in *Nuovi argomenti* (dicembre 1982; 15-35) is perhaps one of the author's most entertaining and spicy stories which deal with sexual taboos such as incest and pedophilia. The date of its publication, the descriptions of the characters, and the way its main protagonist (here, a scientist) is concerned with the possibility of an imminent holocaust, would indicate that this story was composed in the same period of *L'uomo che guarda*.

[30]At the height of her frustrations Emilia tells Riccardo that she no longer loves him and actually shouts "Io ti disprezzo... ti disprezzo e mi fai schifo" (112).

[31]The importance that bourgeois women give to owning a beautiful house can already be found in *Gli indifferenti*. However, it is from *Il disprezzo* on that we find intellectuals who have to work extra hard, often having to accept a second job, in order to satisfy their wives's desires of

owning a house.

[32]This discussion of primitive instincts opposed to modern man's rationality reappears in a similar situation in Moravia's last novel. In *La donna leopardo* it is from Colli's interpretation of primitive instincts vs *homo habilis* that Lorenzo sees an analogy between himself and his wife Nora. It is also interesting to note that in both of these novels one of the lovers dies in an accident, in the closing pages of the story.

[33]Lucio's despair echoes Dino's existential anguish, in front of the "empty canvass," in *La noia*, as well as Merighi's gloom when facing "il nulla" (nothingness), in *L'attenzione*.

[34]These manifestations of pride date back to Mariagrazia in *Gli indifferenti*. A pride which affects not only male, but also female characters. Perhaps the most interesting example involving a female protagonist can be found in *La ciociara* where Cesira is proud to show her daughter Rosetta's nakedness to Michele. See also note 33.

[35]In reviewing *L'uomo che guarda* Enzo Siciliano underlines Dodo's voyeurism a a familiar Moravian technique: "L'io narrante è un veicolo stilistico fisso della narrativa moraviana. Il voyeurismo, definibile nei termini in cui lo scrittore ne parla in questo romanzo, lo è altrettanto." In "Moravia, guardare è raccontare," *Corriere della sera*, 12 giugno 1985.

[36]We recall that Edoardo defines himself as a man who lives "soprattutto attraverso gli occhi" (7).

[37]When still a small child Dodo had seen his father make love to his mother, and he had heard her being forced to say "sono la tua porca." Edoardo never sees his father make love to Silvia, but when he hears Silvia use the expression "sono la tua porca" he suspects an incestuous relationship between the two (163). Frustrated by this and other implicating incidents recounted by Fausta, when Dodo attempts to make love to Fausta and he tries to force her to say "sono la tua porca" (189) suddenly he realizes that he is unconsciously following in his father's footsteps. He is doing exactly what he claimed to detest in the opening pages of the story: to resemble his father.

Of course there is also an ideological principle in question. Dodo is still trying to defend his rebellion which, in the historic days of 1968 saw him fighting against his father's reactionary views. Moreover, Dodo resents that he became a university Professor, just like his father.

[38]In the closing note that accompanies *La donna leopardo*, Enzo Siciliano quotes Cecchi's statement that Moravia's talent lies mainly in brief forms of narrations such as *Agostino* and his *Racconti romani*. To these we can certainly add *L'amore coniugale* and *La donna leopardo*.

[39]Dodo is not much different than most of his predecessors, and he clearly echoes Michele qualifications, from *Gli indifferenti*. To Pascasie, Dodo admits being "un buon intellettuale che non riesce ad agire e le cose le pensa ma non le fa" (203).

[40] In *L'uomo che guarda* and *La donna leopardo* (in the explicit references to Herodotus's story of King Candaules) we recognize the story of pride and jealousy which served as a model for many of Moravia's voyeuristic scenes.

In connection to Moravia's intellectuals, it may be interesting to note how Simone de Beauvoir refers to Herodotus's story to point out one of man's faults: "Every man in a way recalls King Candaules: he exhibits his wife because he believes that in this way he is advertising his own merits" (*The second sex*. New York: A. Knopf, 1975; 176).

The story of Candaules has drawn a lot of attention from different writers throughout the centuries. Mario Vargas LLosa uses it in a most witty fashion in the short novel: *In Praise of the Stepmother* (1990).

[41]Although I do not feel that Sharon Wood's text goes much further than previous feminist studies which have lamented Moravia's way of treating women as objects, or his lack of recognition and understanding of women's subjectivity, I do agree with her that more than chauvinism or anti-feminism, Moravia's real fault lies in: "...the suppression and constraint of female experience; experience which is appropriated as a fixed mirror in which the male may contemplate his own image" (183).

Un incontro con Dacia Maraini

A cura di Rocco Capozzi

Dopo la separazione con Elsa Morante, nel 1962, Alberto Moravia ha vissuto per circa 18 anni con Dacia Maraini. Nel 1986 l'autrice ha pubblicato un ottimo saggio biografico su Moravia --in forma di colloquio con l'autore (cfr. *Il bambino Alberto*; Bompiani). Assieme a Enzo Siciliano, Carmen Llera, e la sorella di Moravia, Maraini si è impegnata sin dai primi giorni per far si che si realizzasse (in occasione del secondo anniversario della morte dell'illustre autore) la recente inaugurazione dell'apertura del "Fondo Alberto Moravia," nel vecchio appartamento di Lungotevere della Vittoria -- dove l'autore aveva vissuto e lavorato nell'ultimo trentennio della sua vita. La fondazione, come ci conferma Maraini, grazie ai ricchi archivi e alla sua biblioteca di testi, manoscritti, inediti, corrispondenza, elzeviri, interviste, tesi, bibliografie, etc., sarà indubbiamente un punto di riferimento e una fonte indispensabile per chiunque voglia studiare l'opera omnia di Moravia.

Negli ultimi anni Dacia Maraini ha avuto il dovuto successo sia in Italia che all'estero. L'autrice ha partecipato al "Toronto Harbourfront Festival of Authors" (ottobre 1992) con la lettura di alcuni brani da *La lunga vita di Marianna Ucrìa* --il romanzo premiato in Italia e in Francia --è stato appena tradotto in inglese: *The Silent Duchess* (Quarry Press, 1992). In questa occasione ho approfittato della sua presenza e della sua gentile collaborazione per rivolgerle alcune domande su Moravia e sui rapporti tra lei Moravia e Morante.

***

Nell'introduzione al Suo primo romanzo La vacanza *si trova una prefazione di Moravia. Potrebbe dirci quando e come ha conosciuto Moravia?*

57

M. -- Mi sono rivolta ad Alberto Moravia perché me l'ha chiesto l'editore, anzi l'ha messo come condizione che portassi una prefazione dello scrittore per potere pubblicare il mio primo romanzo. Così sono andata a trovarlo (era amico di amici) e gli ho chiesto di leggere il manoscritto del mio romanzo, *La vacanza*. Lui l'ha letto e mi ha detto che gli era piaciuto, ha acconsentito a scrivere la presentazione. Non era una cosa insolita per lui: molti giovani gli chiedevano la stessa cosa e lui è sempre stasto molto generoso e disponibile; sapeva come è difficile per un giovane cominciare, lui stesso aveva dovuto pagarsi da sè la prima edizione de *Gli indifferenti* perché nessun editore glielo voleva stampare.

E quindi ha conosciuto Elsa Morante nello stesso periodo?

M. --Elsa Morante l'ho conosciuta qualche tempo dopo. Avevo una grande ammirazione per lei, avevo letto tutti i suoi libri e amavo la sua scrittura.

Immagino che con la Morante avete avuto occasione di conoscervi meglio durante il viaggio in India, assieme a Pasolini?

M. --Non ho partecipato al viaggio in India con Pasolini ed Elsa Morante. Sono stata in India, ma qualche anno dopo, solo con Moravia, e vivevamo già insieme.

Da alcuni anni si è parlato molto di erotismo nella narrativa di Moravia. Alcuni parlano perfino di pornografia. Come vede la ripetuta attenzione dell'autore dedicata al mondo delle donne?

M. --Alberto aveva una grande curiosità per il mondo femminile. Gli veniva da una precoce partecipazione alla vita sentimentale ed erotica della madre. Su questo argomento rimanderei al libro che ho scritto, *Il bambino Alberto*, in cui ho cercato di approfondire, appunto, i rapporti di Alberto con la madre, che secondo me sono stati determinanti per lo sviluppo della sua immaginazione erotica.

La critica femminista denuncia la visione della donna nella scrittura di Moravia? Come sono stati i Suoi rapporti con l'autore?

M. --Alberto era un uomo fortunatamente molto diverso e lontano dal tradizionale uomo italiano. Aveva un grande rispetto per l'a libertà e l'autonomia della donna che amava, non pretendeva né di forgiare, né di modificare, né di educare la persona che gli stava vicina, anche se era molto più giovane di lui. Trattava, con naturalezza, le donne come sue pari; non era né paterno né professorale, né protettivo, né possessivo.

Può dirci come ha visto i rapporti tra Moravia e Morante e di come, dopo la loro separazione i due (ma sopratutto Morante) hanno evitato di parlare in pubblico del loro martrimonio? Morante era gelosa della Sua convivenza con l'autore?

M. --Moravia non ha mai evitato il nome di Elsa. Le parlava anche in mia presenza, al telefono. Ci vedevamo anche qualche volta tutti e tre, per una cena, un pranzo. E lei è sempre stata molto gentile e af-fettuosa con me. Ha sempre letto i miei romanzi e me ne parlava con intelligenza e generosità.

Qual'è dunque il Suo giudizio sull'opera della Morante?

M. --Ho molto amato i libri di Elsa, come ho già detto. Soprattutto ho amato il primo, *Menzogna e sortilegio*, che ho letto quando avevo quattordici anni, al mare, stesa su un divano, ascoltando la sonata a Kreuzer. Ne ero letteralmente affascinata. Per me quel romanzo è rimasto legato alla passionalità melanconica e tesa della sonata opera 47 di Bethoven.

Un'ultima domanda sulla Morante. Per quanto possa sembrare una curiosità strana, potrebbe spiegarmi (come Le dicevo sto lavorando sull'opera omnia della Morante) l'attrazione dell'autrice per amici e colleghi omosessuali o bisessuali (Pasolini, Bellezza, Penna, Viscon-ti...) -- attrazione che vediamo nei suoi romanzi come Aracoeli? *Pensa che queste ed altre amicizie abbiano mai disturbato Moravia?*

M. --Elsa Morante si considerava, scherzosamente "ermafrodita." Detestava essere trattata come una donna, ma neanche le piaceva essere trattata come un uomo. Perciò si dichiarava "diversa", né uomo né donna. Si trovava bene in compagnia degli omosessuali, probabil-mente perché erano uomini che non si poneva in termini di virilità. E in Italia, sappiamo quanto il mito della virilità fosse (e sia ancora) importante. Moravia era, come ho detto, speciale. Gli piacevano le donne, ma aveva una lata stima delle loro capacità intellettuali e nei suoi rapporti privati era cameratesco, giocoso e cercava la parità.

Cosa ne pensa di una mia idea che da L'amore coniugale *e* Il disprezzo *fino a* La donna leopardo, *Moravia ha spesso parlato, anche se solo indirettamente, dei suoi rapporti difficili con le sue donne?*

M. --Moravia non ha mai fatto dell'autobiografia. È un errore pensare di riconoscere nei suoi libri le persone che gli sono state vicine in vita anche se, come tutti gli scrittori, pescava dalla vita, ma mai in modo diretto e riconoscibile. Detestava la letteratura come cronaca, rincorreva sempre un suo crudele e profondo sistema di idee. I suoi personaggi non volevano "imitare il vero" ma semmai rivelarlo attraverso un processo di deformazione che si potrebbe chiamare "espressionista."

Bene. Ritorniamo al Suo lavoro. Pensa che dai giorni de La vacanza *la critica sia più generosa verso le scrittrici, e finalmente stia dedicandole l'attenzione che Lei merita?*

M. --La critica spesso è prevenuta contro le donne che scrivono, soprattutto quando queste donne non fingono di essere "neutre" ma si riconoscono nel mondo femminile e nelle sue specificità storiche. Ci sono voluti anni e anni di lavoro, di successo di pubblico, di traduzioni all'estero, per raggiungere un prestigio che un uomo certamente avrebbe ottenuto con molta minore fatica.

Come può definirci il Suo impegno sociale --innanzitutto nei riguardi della condizione della donna?

M. --Sono nata con il senso della giustizia. fin da bambina chi calpestava la giustizia con atti di sopruso, di arroganza, suscitava la mia indignazione. Quando mi sono resa conto che le donne avevano subito e subivano molte ingiustizie, non ho potuto fare a meno di mettermi dalla "parte delle donne." Ma in qualsiasi momento e ovunque si compiano delle ingiustizie, io mi sento spinta ad intervenire, coi miei mezzi naturalmente, che sono la parola, detta e scritta.

Su cosa sta lavorando in questi giorni? Ho sentito che sta preparando un altro romanzo. Ha fiducia nel futuro del romanzo in Italia?

M. --Sto lavorando ad un nuovo romanzo, di ambiente moderno, ma ancora non voglio parlarne. Penso che sarà pronto fra un anno o due. Non ho fiducia nel romanzo ma nel piacere di raccontare una storia e nel fatto che la gente ha voglia di sentire raccontare storie. Naturalmente la storia, qualsiasi storia, non passa se non è scritta "con arte," cioè con quella consapevolezza critica ed estetica che sta alla base della scrittura letteraria.

(Toronto, 24 ottobre 1992)

Moravia surrealista e satirico: Qualche appunto critico

Luigi Fontanella

Nel vasto e granitico repertorio moraviano esiste un settore molto particolare costituito da una serie di racconti denominati "surrealisti e satirici," il cui primo attributo potrebbe sembrare a tutta prima sorprendente, considerato che l'intero *opus* moraviano si è sempre mosso all'interno di una espressività che, per facilità, chiameremo "realistica."

Ma diamo prima di tutto le precise indicazioni bibliografiche a cui questo breve studio intende riferirsi. Si tratta, in pratica, di due raccolte di racconti: *I sogni del pigro* (Milano: Bompiani, 1940) e *L'epidemia* (ivi, 1944). Ambedue le raccolte sono poi confluite nel IX volume delle Opere Complete con il titolo *L'epidemia. Racconti surrealisti e satirici* (Milano: Bompiani, 1956); più tardi riproposto anche nell'edizione tascabile con il titolo generale *Racconti surrealisti e satirici* (1982). La mia analisi fa riferimento proprio a quest'ultima edizione.[1]

Complessivamente sono cinquantaquattro racconti di cui, i primi ventisette, esattamente la metà, fanno parte de *I sogni del pigro*; quelli della seconda metà formano il *corpus* dell'*Epidemia*.

Ho detto all'inizio che questi racconti costituiscono un settore molto particolare dell'opera moraviana. Vorrei ora sinteticamente spiegarne le ragioni.

Moravia scrive questi testi nel decennio 1935-1945. Sono gli anni in cui più stringente e capillare si esercita il controllo della censura fascista. Moravia, ch'è intanto stato colpito dalle leggi razziali e deve firmare i propri articoli con uno pseudonimo, ricorre *naturalmente* alla satira (del resto già presente fin dall'esordio de *Gli indifferenti*), all'apologo, al racconto surreale e metafisico, al "mito" (in questo non lontano dalla linea Pirandello/Bontempelli), all'allegoria, per esprimere, in registro narrativo, le sue "reazioni" creative (sia pure in clima di "libertà pesante") di intellettuale scomodo al regime.

Di fatto, proprio "racconti, miti e allegorie" recitava significativamente il sottotitolo, poi espunto, de *I sogni del pigro* nell'edizione originaria.

Moravia insomma adotta una vecchia arma, forse l'unica possibile per uno scrittore in tempi di dittatura, consistente nell'impiego dell'allegoria fantastica quale risvolto o "contrappasso" drammatico che, recuperando l'autonomia inventiva dell'artista, pone questa al servizio d'una funzione etica e politica. Così da questo punto di vista, l'accezione surrealista non vuole, né può riallacciarsi al dirompente surrealismo ortodosso quale si ebbe in Francia specialmente negli anni Venti, e come si evince, in àmbito teorico-programmatico, soprattutto dal primo Manifesto (1924). Essa si pone, bensì, come fase di riflessione o ripensamento; come dire non l'opposizione eversiva surrealista, ma il surrealismo al servizio dell'opposizione, ovvero un movimento artistico-letterario (un modo di fare letteratura) che a un dato momento può diventare esso stesso strumento "anche" politicamente liberatorio.

Si dovrà dunque parlare, per Moravia, di un surrealismo atipico, molto particolare (lo vedremo meglio tra breve), in quanto in questi racconti la componente surrealista è frammista ad altre: la metafisica, il grottesco, la satira, il gusto parodico, il pungente moralismo; e solo a tratti emerge con netta preminenza. Prova ne sia che la primitiva aggettivazione, fungente da corollario esplicativo per questi racconti, era stata quella di *surrealistici*: termine alquanto vago per l'indicazione di un'area genericamente surreale (soprareale, supernaturale), poi presto modificato in quello di "surrealisti" *tout court*.

È in forza di quest'assunto preliminare che gioverà, per il critico, operare una prima griglia orientativa tale che permetta all'interno di questa densa e variegata produzione una distribuzione per temi e per poetiche necessaria, e direi ormai inelusibile, visto che questi racconti sono stati molto spesso, frettolosamente, liquidati dalla critica con giudizi "di passaggio," in quanto opere apparentemente di ben altro spessore (e certamente di maggiore compattezza stilistico-tematica) premevano alla loro attenzione esegetica.

A me pare che in via schematica si possano individuare tre raggruppamenti di base.

a) C'è un primo settore in cui è preminente la componente mitico-metafisica, permeata da un certo astrattismo moderatamente visionario, con punte perfino cubofuturiste (ma non si forzino questi termini). Il tutto, se proprio volessimo trovare una formula riassuntiva, potrebbe denominarsi *astrattismo metafisico*.

b) C'è un secondo settore, per molti versi centrale nella complessiva raccolta, che andrebbe considerato sotto la specie del *grottesco*, nel cui interno la satira moralistica e graffiante di Moravia si fa spesso allegoria surreale (per sogni o allusioni o metafore e simili) di critica al fascismo nonché alla borghesia romana che lo rappresenta, e alla quale del resto lo stesso Moravia apparteneva, come ben mise in rilievo, a suo tempo, Giacomo Debenedetti.[2]

c) C'è infine, ma non alla fine, un terzo settore nel quale confluiscono racconti veramente surrealisti, ovvero racconti in cui l'irruzione trasgressiva del fantastico, di chiara ascendenza surrealista, è solo in parte mitigata dalla vena di lucido, swiftiano moralismo, vena comunque destinata a restare sempre presente, qui come altrove, nell'intera narrativa moraviana, tanto da far dire a un critico come Contini che, quand'anche lo scrittore s'inoltra nel magico/surreale, egli "rimane un moralista."[3]

Sono, questi, raggruppamenti indicativi, elastici, nel senso che qualche racconto può presentare, in modi intrecciati, tutte e tre le tematiche, sebbene racconti simultaneamente polisemici siano in fondo pochissimi.

Vorrei procedere ora con qualche riferimento testuale: verificare cioè una campionatura minima quanto emblematica di riporto a questo telaio appena abbozzato.

Cominciando dal primo raggruppamento, non si lasci ingannare il lettore dall'ambientazione per lo più greco-latina dei primi racconti, nei quali la fascinazione metafisica (si veda in particolare *Fuga in Spagna* e *Il silenzio di Tiberio*) si coniuga perfettamente, o fa da *pendant* complementare, con qualche incipiente allusione al clima "afoso" del regime fascista. Esempi immediati sono, appunto, i racconti testé menzionati. Vorrei soffermarmi un momento sul primo (*Fuga in Spagna*). Vi si racconta della fuga di Crasso da Roma, braccato da fantomatici sicari che gli hanno ammazzato il padre e il fratello. Raggiunto nottetempo il porto di Ostia, s'imbarca per la Spagna. Ma anche qui trova una situazione cupa, greve, costellata di infidi delatori ("già i fratelli diffidavano dei fratelli, gli amici degli amici, i superiori degli inferiori," 13): una società, quella spagnola (probabile allusione al franchismo) in fondo non troppo dissimile da quella romana, popolata essenzialmente da due gruppi: quello dei perseguitati e quello dei persecutori.

Crasso vive otto lunghi mesi solitariamente in una caverna. In questo tetro rifugio (da un angusto pertugio riceve giornalmente qualche provvista dai servitori di Vibio Paciano, suo unico fido), Crasso conduce una vita singolare, al tempo stesso solitaria ed esaltata. Una vita *autre*, tutta di proiezione, fatta di ricordi, sogni, visioni. Gradualmente "Mario e Cinna, i patrizi e le plebi, i Romani e i Latini non gli apparivano che come accidenti; di essi il fato si serviva, non essi piegavano il fato; sarebbero passati, travolti, dopo essere stati strumenti di un più vasto disegno" (15).

Ma ecco che man mano che sbiadiscono fatti e persone, acquistano rilievo e sostanza le fantasie personali di Crasso: ad un isolamento ambientale assoluto fa riscontro, inversamente proporzionale, una folta compagnia, gradevole quanto fantasmatica, costituita delle sue stesse parole, gesti, rapinosi miraggi e proiezioni.

> Allora sì che gli pareva di non essere più un uomo ma quasi un dio. E anche il tempo,   in questi rapimenti, pareva sospeso. (...) l'avevano visto accosciato presso lo specchio d'acqua parlare da solo; oppure starsene in mezzo al mare sopra uno scoglio con pericolo di essere travolto dalle ondate. Dissero   anche i suoi capelli scarmigliati, i suoi   occhi brillanti, i suoi strani gesti. Vibio impensierito mandò allora a Crasso un messaggio domandandogli come stava e se aveva bisogno di compagnia. Ma gli venne la risposta che non era mai stato così bene; e quanto a compagnia, soggiungeva stranamente, essa certo non gli mancava e delle più folte (15).

Crasso - e il racconto medesimo che ce ne descrive la vicenda - è così visitato dalla vaporosità del fantastico che, per sua natura, non può essere che di breve durata, tanto più se a farlo irrompere è uno scrittore irriducibilmente pragmatico come Moravia. La storia, di fatto, si conclude poco dopo con la fine della "clausura" di Crasso che, morto intanto Cinna, può far ritorno a Roma. Qui, pur diventando "uno dei tre maggiori cittadini e certamente il più ricco," non riuscirà però mai più a ritrovare, non senza rimpianto, quello stato di grazia e benessere misterioso che laggiù, in quella solitaria caverna, aveva goduto lontano da tutti e da tutto.

> Lì si era sentito quasi un dio. Ma adesso, terzo a Roma e nel

mondo, non gli pareva di aver sottomano tanta potenza come allora che era solo, abbandonato e in fuga. E del mistero presentito nulla gli era rimasto; tanto da dubitare di quell'avventura della sua giovinezza come di un sogno (16).

Mi sono un po' dilungato su questo racconto, perché forse meglio di altri - nel senso, cioè, di un più dispiegato fantastico, libero da ceppi ideologici - sa esprimere quell' "astrattismo metafisico," moderatamente visionario, cui accennavo all'inizio.

E sempre nell'àmbito dell'accezione visiva-visionaria va di forza iscritto un altro racconto ben riuscito: *La follia di Eustachio*. Qui Moravia, pur non rinunciando all'impianto del racconto/resoconto (un tale Umberto, amico dello scrivente, riferisce sulla strana follia che ha colpito il signor Eustachio, e il caso viene poi narrato dal Nostro in forma di cronaca narrante), cattura il lettore sia per la tessitura metatestuale (la voce dello scrittore-che-narra, la voce-di-riporto del personaggio Umberto), sia per le effettive stramberie che la godibilissima vicenda trascina con sé.

Emblematici poi di quello che ho schematicamente indicato come "secondo settore," notevolmente connotato espressionisticamente, sono racconti come *I sogni del pigro*, *L'epidemia*, *L'intimità*, *La vita è un sogno*. Nei primi tre i non pochi motivi parasurrealisti vengono palinodicamente esposti insieme ad altri, satirici, sul fascismo. Specialmente nell'*Epidemia* è rilevante lo spessore metaforico-allegorico: il fascismo percepito come morbo puzzolente che gradualmente, inesorabilmente, piega-piaga la maggior parte dei cittadini. Nel *L'intimità*, invece, la satira surreale e graffiante si svolge principalmente nell'ambito del grottesco. Ma è forse *La vita è un sogno* il racconto che felicemente quintessenzia questo particolare surrealismo in forma, per così dire, di *utopia satirica*, trattandosi di un pezzo segnato da un forte spessore ideologico in cui la satira (corrosivamente saviniana) all'uniforme società fascista è molto sarcastica, tagliente, pieghevole com'è, questa società, ai "sogni" del Mostro che la governa.

Ancora nell'àmbito del secondo raggruppamento va sottolineato un altro aspetto, molto interessante, da mettere in relazione col surrealismo, costituito dall'*animalismo*. Alludo alla dimensione anamorfica dell'*animalisation*, che Moravia -- sarà lui stesso a riconoscerlo più tardi -- deriva dal surrealismo figurativo, in particolare quello di Max Ernst.[4] Mi riferisco, in tal senso, a racconti letteralmente sorprendenti come *Il coccodrillo*, *La metamorfosi*, *Il tacchino di Natale, Il vitello marino, Polpi in polemica.*

Per il terzo raggruppamento, ovvero quello in cui il surrealismo sembra dispiegarsi con maggiore evidenza, o comunque ove l'*irruzione* del fantastico prevale sulla vena moralistica, farei riferimento a racconti esemplari come *La rosa* (soprattutto per l'accostamento libertario/liberatorio, via Breton, di infanzia/surrealismo espresso nel primo Manifesto), *L'estraneo* (d'incantevole grazia favolistica), *L'albero in casa* (vagamente saviniano-joppoliano: penso al racconto, tra i più suggestivi di Joppolo, *La nuvola verde* [5]), e soprattutto *Il mare*. A proposito di quest'ultimo racconto sarebbe interessante verificare, sempre all'interno di questo terzo "raggruppamento" (e non è questa la sede per farlo), l'ascendenza bontempelliana relativa al "realismo magico." Il racconto in questione, ad esempio, presenta singolari coincidenze, anche sul piano tematico, con *La spiaggia miracolosa* del Bontempelli che precede di parecchi anni il racconto moraviano.[6] Ma quanto soffuso di grazia e gentile leggerezza il racconto bontempelliano, ove il gioco dell'*illusione* si coniuga perfettamente con quello dell'*immaginazione*, tanto più diretta ed efficacemente "scolpita" è la brusca intrusione del fantastico nel racconto moraviano. Mentre in Bontempelli il meraviglioso è un dato gestito soggettivamente nella psiche dei due protagonisti, e dunque con deciso carattere simbolico, in Moravia esso è elemento oggettivo che i personaggi della storia accettano "passivamente" come tale, dandolo per scontato, e dunque con carattere decisamente allegorico. Su questa medesima lunghezza d'onda andrebbe posto un racconto, tanto corrosivo, come *Il coccodrillo*. Moravia ha sempre preso le distanze dal Bontempelli, da lui considerato, fin troppo severamente e sbrigativamente, "scrittore datato: decorativo e poco significante."[7] A me pare invece che l'originale inventiva della novellistica bontempelliana abbia lasciato più di un segno (fecondo) in quella moraviana, e questi rapporti sarebbero tutti da studiare direttamente sulla pagina.

Concludendo, sia pure provvisoriamente, su questo particolare surrealismo moraviano, bisognerà insistere sul forte spessore idelogico-allegorico che lo caratterizza, e che in ultima analisi vuole essere *satira* graffiante (da qui la "correzione" in endiadi del secondo aggettivo nella titolazione di questi racconti) nei riguardi dell'uniformità fascista. Su questa regna, fondamentalmente, l'*apatia*: centrale, in tal senso, il racconto *La vita è un sogno* cui ho prima accennato, anche per le implicazioni saviniane che esso presenta.

Un surrealismo, quello di Moravia, interpretato sostanzialmente in chiave di utopia satirica e parodica, lucidamente esperito alla

Swift, in cui prevale più spesso l'intento (l'istinto) dimostrativo, ma sempre risolto sul piano narratologico e che, in non pochi casi, prelude alla felice, e finalmente *libera*, affabulazione dei *Racconti romani*.

(Luigi Fontanella. SUNY at Stony Brook)

NOTE

[1]Ovviamente le pagine indicate si riferiscono a questa edizione.

[2]"... [Moravia], inequivocabilmente nato per narrare, condanna quel mondo, perché l'ha messo insieme con elementi che sa moralmente deteriori. Ma nello stesso tempo ne è complice". (Giacomo Debenedetti, *Saggi critici*, nuova serie, Milano: Mondadori, 1955, seconda edizione, 222).

[3]Cfr. Gianfranco Contini, *Italia magica e surreale*, Torino: Einaudi, 1988, 177.

[4]"Mi hanno influenzato assai di più i surrealisti: Apollinaire, Tristan Tzara, Breton, Cocteau perfino. E poi i surrealisti pittori, a cominciare da Max Ernst: molti miei racconti traggono ispirazione da *Une semaine de bonté*". (In *Alberto Moravia. Intervista sullo scrittore scomodo*, a cura di Nello Ajello, Roma-Bari: Laterza, 1978, 107).

[5]A tale proposito mi permetto rimandare al mio volume *La parola aleatoria*, Firenze: Editrice Le Lettere, 1992, in particolare 100-101.

[6]Il racconto bontempelliano fu scritto negli anni 1925-1927. Prima edizione nel volume *Donna nel sole e altri idilli*, Milano: Mondadori, 1928. Dopo varie altre edizioni il racconto fu inserito nel primo volume di *Racconti e romanzi*, a cura di Paola Masino, Milano: Mondadori, 1961, 860-865. Il racconto è stato infine inserito nel volume dei Meridiani dedicato a Bontempelli a c. di Luigi Baldacci.

[7]Cfr. *Alberto Moravia*, a c. di N.Ajello, op.cit., 114. Inaccettabile poi il giudizio di Moravia, del tutto negativo, su *Eva ultima* del Bontempelli, a mio avviso uno dei capolavori, sia pure tra i più atipici, del Novecento italiano.

Alberto Moravia as Journalist: 1930-1935

Louis Kibler

The five years that followed the publication of Alberto Moravia's first novel, *Gli indifferenti* (1929), are in some ways the unknown period of Alberto Moravia's literary life. Although many critics and commentators have noted that he spent most of these years traveling abroad as a journalist for two Turin newspapers, *La Stampa* and *La Gazzetta del Popolo*, none mentions that he was writing anything other than "travel articles."[1] Moravia himself, in his numerous interviews, says little of his journalistic activities, except that his articles on England which appeared in *La Stampa* were rather successful.[2] The nonfiction that was published in these newspapers during the thirties was never reprinted, and thus far even the titles of the articles have been unknown to bibliographers of Moravia. This study is an initial effort to fill a scholarly gap in Moravian studies by describing the newspaper articles written during the early thirties and by demonstrating in a general and summary way how these varied journalistic pieces illuminate the thought, the character, and the art of the young novelist.

Curzio Malaparte was directly responsible for launching Moravia's journalistic career. The author of *Gli indifferenti* had met Malaparte when the latter was coeditor with Massimo Bontempelli of the short-lived review *Novecento*, upon which Moravia had collaborated in the late twenties. Malaparte left the journal a year after its founding in 1926, and he later became editor of *La Stampa*. In 1930 he invited the 23-year-old Moravia to contribute travel articles to the newspaper as a special correspondent. The offer was appealing, though not because of the remuneration: the articles that Moravia wrote were few and poorly paid.[3] Rather, the position as correspondent permitted him to satisfy his desire to travel,[4] and it provided the means of leaving Italy, which was becoming unbearable for the young Roman: "Traevo pretesto dagli articoli per fare i viaggi, ossia per uscire una volta almeno all'anno dall'atmosfera noiosa e chiusa del fascismo."[5]

Moravia was employed by *La Stampa* for only a year. Although he never explained why he left it in 1931 to join the staff of *La Gazzetta* where he remained until 1935, he has often cited his antifascist sentiments as the reason for his forced departure from *La Gazzetta*:

> Benché scrivessi sui giornali, i miei rapporti con il fascismo peggioravano. Mi si accusava di essere uno scrittore immorale. In realtà ero diventato antifascista e non frequentavo che antifascisti e questo si sapeva. Nel 1935 uscì *Le ambizioni sbagliate* [Milan, Mondadori]. Subito venne dal Ministero della Cultura Popolare l'ordine ai giornali di non parlarne. . . . Contemporaneamente perdetti la collaborazione alla *Gazzetta del Popolo* (Del Buono 12-13).

One can scarcely underestimate the importance for Moravia of this early journalistic assignment, for it initiated two aspects of the writer's career that would continue undiminished for the next sixty years: his love of travel and his activity as a journalist.

Moravia did not write voluminously for either newspaper. In six years he published forty-one articles, slightly fewer than seven per year. They appeared at irregular intervals: in one case only ten days separated two articles, in another almost six months passed between publications.[6] In all he wrote eight pieces in 1930, nine the following year, six in 1932, only four articles in 1933, ten in 1934, and just four in the year that *Le ambizioni sbagliate* appeared. In comparison, among the writers for *La Gazzetta* were Giuseppe Ungaretti, Bontempelli, Giovanni Comisso, Ercole Patti, Ardengo Soffici, F. T. Marinetti, Paolo Monelli, Bonaventura Tecchi, Achille Campanile, Bruno Barilli, and Carlo Emilio Gadda, all of whom appear more frequently on the *terza pagina* than Moravia.

The first four pieces that Moravia produced for *La Stampa* were short stories, not the travel articles that he had been asked to do. All of them were reprinted in 1935 in his first collection of short stories, *La bella vita*.[7] Similarly, four of the dozen works that he wrote during his last twelve months with *La Gazzetta* were also shortstories. Of these, "Sogno nell'altana" (5 July 1934) and "Tiberio a Capri" (18 October 1934) were included in *I sogni del pigro*.[8] The other two, "Le donne fanno dormire" (30 December 1934) and "Uomo di carattere" (29 January 1935) were apparently never reprinted.

Twenty-three of the remaining newspaper articles are travelogues, nine are essays on aesthetic genres, literature, art, or society, and one is an introspective piece that describes a day in the life of the narrator.

The nine nonfiction articles that Moravia wrote for *La Stampa* and two that were published in *La Gazzetta* recounted his experiences as a visitor to the England of the early 1930s. Moravia's attitude toward the island and its people is perplexing if not ambivalent. When, later, he remembers England from either a geographic or temporal distance, his feelings for it are almost totally positive. Contrasting London and Prague in "Tristezza di Praga," for example, he states that London, behind its yellowish fog, always retains a cordial smile; and during an interview with Alain Elkann nearly sixty years later, he recalled the city with fondness:

> Gli articoli della *Stampa* . . . ebbero successo perché riuscii ad esprimervi direttamente il mio stupore per la vita inglese così diversa da quella italiana. . . . La poesia [di Londra] per me era strana, nuova e affascinante. Posso dire che durante tutto il periodo di quella mia prima visita a Londra fui innamorato della città (Elkann 56).

When one reads the articles dispatched from England, however, a different image emerges: he speaks so deprecatingly about the island that one wonders how he endured his six-month sojourn there during the winter of 1930-31.[9] The weather was uniformly bad: cold, wet, and usually foggy. In the late 1980s he still remembered it:

> Londra era nera, completamente affumicata e molto nebbiosa. Venendo dall'Italia mi sembrò di essere sulla luna. Non avevo mai visto una cosa simile, ero stupefatto. Stupefatto che Londra fosse così nera, tutta nera di fuliggine . . . (Elkann 56).

One might object that Moravia's stay in London was untimely and that many European cities are disagreeable in the winter: certainly, few visitors enjoy a prolonged stay in wintry Milan with its cold, damp fogs. But Moravia returned to the city in the summer of 1932--and found it even more unpleasant in warm weather. Specifically, the winter fog had hidden much of the city's "bruttezza irrimediabile [che] è riscontrabile dovunque e [che] è per così dire organica":

> Fate che l'inverno passi e venga l'estate umida pesante e
> caliginosa di quassù, allora l'incanto [della città] dispare e
> Londra si rivela per quello che veramente è: una città di rare
> seppure indimenticabili bellezze, piena invece di cose bruttis-
> sime, infelici, addirittura insopportabili. . . . Preferisco il
> tempo nero e la pioggia battente ("L'estate a Londra," 2 July
> 1932).

English food was disappointing, too. Moravia was assaulted
by its pervasive odor on the first evening that he arrived to lodge in
a boardinghouse in Chelsea:

> Mi colpì . . . , diffuso per l'aria calda, un odore di cucina
> prima mai sentito, abbominevole; e non [sapevo] che questo
> odore è dappertutto a Londra e altrettanto inevitabile che la
> pioggia, la nebbia e gli altri fenomeni naturali . . . ("Arrivo a
> Londra", 4 Nov. 1930).

His meals did not improve as winter wore on: there was mutton every
day, and he loathed the ubiquitous bread pudding (Elkann, 55). By
April Moravia had experienced enough English cooking to lead off his
article "Il quartiere dove si mangia" (*Stampa*, 25 Apr. 1931) with an
absolute condemnation of British cuisine: "La cucina inglese è certo
la più rozza che ci sia." Fortunately, Moravia discovered Soho, that
section of London where in the thirties one could dine in Italian,
French, German, Chinese, or Indian restaurants. And he took care to
do so twice daily.[10]

Although most of Moravia's articles on England emphasized
his negative reactions to it, there were some compensating pleasures.
A morning walk through the countryside awakened his appreciation
for nature ("Gita in campagna," *Stampa*, 25 Nov. 1930). Similarly
appealing was the long, melancholy, and serene summer twilight in a
northern latitude. Walks in Hyde Park were especially enjoyable then,
for the green meadows, the trees, the multicolored sky, and the
presence everywhere of lovers contributed to the

> aria di ottimismo primordiale e misterioso del parco . . . .
> Vien fattto insomma di pensare che finché ci saranno fanciulle
> e giovani assorti a baciarsi sulle fredde erbe, sotto il vuoto

cielo sereno dei crepuscoli estivi, ci potrà anche essere una
fiducia nell'avvenire; quella fiducia che tra gli interessi, le
vanità e tutte le altre scomodità della vita cittadina pare ogni
tanto che possa scomparire, per sempre, uccisa dalla noia e
dal disgusto delle abitudini ("L'estate").

The author's travels in France are less well documented than
those in England, but he is scarcely more generous toward "la belle
France." Especially devastating is his description of a motor trip to
Rouen with a friend. The French countryside is "monotono e
sonnolente," and is best experienced in a fast automobile that takes
one through it as quickly as possible ("Rouen," 4 Dec. 1932). The
villages they pass are so nearly identical that they converge into a
repetition of miserable little interruptions in their progress toward
Rouen. The cathedral and the *hôtel de ville* of Flaubert's birthplace
stir the writer's imagination, though not to the extent that they cancel
the bourgeois dreariness of its population. These are the same citizens
who peopled *Madame Bovary*, Moravia muses, and he encounters
them firsthand in a restaurant that has striven unsuccessfully to be
picturesque. Here he finds what he was seeking: "l'aria di Madame
Bovary. Aria francese, dunque borghese. La finta taverna era piena
di gente che non avrebbe certo sfigurato nelle pagine dell'immortale
e antipatico capolavoro. . . . Ah borghesia, pensavo, come sei viva e
come sei insopportabile."
Moravia preferred Paris to the provinces. On the day before
he left for London in 1930, he savored a walk along the Seine on a
warm day, and he admired "la finezza e l'intelligenza dell'aria, la
grandiosità senza retorica delle piazze monumentali." Yet the French
capital was overrun by automobiles, the city itself had become a
machine. Reflecting on the number of poets and artists who had fled
it--Rimbaud, Gide, Gauguin, even Baudelaire in his imagination--Mo-
ravia noted that Paris had become a city of industrialists who had
created a modern and comfortable civilization; but it had no soul, no
fantasy, nothing that was not "troppo calcolato e noioso" ("Arrivo").
Moravia came across this sterile quality of modern France even in a
small Alpine village built expressly for the ski trade. Its main square
seemed to the Italian symbolic, for at its center arose not the usual
monument to a celebrated citizen but a gasoline pump ("Marzo in
montagna," 13 Mar. 1932).
Of the foreign countries that Moravia visited in the first half
of the 1930s, only Czechoslovakia aroused in him an almost un-

qualified admiration. Although he called Prague "sad," its sadness
derived not from its climate or topography or people, but rather from
its turbulent history. He recognized the past everywhere, in the city's
dark and serene streets, for example, and in the Baroque houses that
bordered them. He was especially moved by a visit to the Jewish
cemetery:

> C'è nel cimitero ebraico di Praga una poesia affatto speciale,
> biblica, con quel sapore di eternità per così dire antistorica che
> si attribuisce a questo aggettivo, una poesia, dico, che m'è
> stato dato per la prima volta di sentire in un modo tanto
> chiaro e preciso.

Mysterious Prague stimulated Moravia's imagination, and it inspired
a reflective and sensitive prose that warmly evokes the "aria nobile e
arcigna di Praga" ("Tristezza"). He was equally appreciative of its
citizenry. Czechoslovakia had become a nation only at the conclusion
of World War I, but already in 1931 the people had made significant
progress toward shaping a new civilization that was an amalgam of its
ethnicity united with an Austro-Hungarian superstructure ("Lo sforzo
per creare lo stato e il suo popolo," *Stampa*, 6 Oct. 1931). The energy
of the courageous and zealous Czechs was particularly remarkable:

> Quel che colpisce di più il visitatore è un'operosità energica
> che pare nutrirsi delle forze accumulate durante più secoli di
> dominazione straniera. Indubbiamente in nessuno dei paesi
> nati dal Trattato di Versailles lo sforzo per creare lo Stato e
> consolidare la nazionalità, per rinnovare e costruire è stato
> così intenso.

This fervor and ambition made it indeed seem possible to bring about
a miracle, to create "di punto in bianco il cecoslovacco, tipo ideale e
modernissimo di umanità. È l'antica leggenda boema del Golem, il
fantoccio vivo costruito dal vecchio rabbino, che pare riaffiorare
rinfrescata e modernizzata."

   In his travels abroad, Moravia attempted to evoke and to
define the culture and spirit of a country. His articles would have
been of little practical help to the tourist, for he seldom concentrated
on the geographic locus itself and even more rarely on the sights that
every tourist "must see." The five pieces that he published on Italy
constitute, in large part, an exception and are ultimately less satisfying

than the others: these are rather straightforward travelogues that consist primarily of detailed though often poetic descriptions of cities and sites such as Ravenna, Segeste, Calabria, and Vesuvius. Only in the article on Urbino, "Strada di circonvallazione" (30 Apr. 1933), does the reader meet again the probing and reflective traveler whose interest centers not on the place but on the tenor of life of its inhabitants. As he walks a street of Urbino, Moravia rejoices that the "note saltellanti e limpide" of a piano being played in one of the houses is not the usual music produced by a radio or a phonograph; and he conducts a gentle flirtation with a pretty girl standing at a window until her father--or perhaps it is her brother--glares at him, and he continues his way. As he passes a penal institution, he imagines the thoughts of the prisoners, and he remarks on the similarity of their lives to those of the ordinary people whom one meets daily. The incarcerated men are so consumed by their crimes that they are oblivious to anything else, while those outside unwittingly undergo a corresponding experience: "gli uomini, passata la giovinezza coi suoi tumulti, la sua falsa libertà e le sue infinite speranze, si rinchiudono nelle loro passioni, scimmiottano se stessi, impietriscono in un gesto o due; e questo chiamano maturare ed avere un carattere."

The articles that reported Moravia's travels are a rich source for study of the young novelist's thoughts, predilections, and characteristics. What strikes the reader almost immediately is the journalist's power of observation and his gift for communicating his perceptions in language that is by turns poetic and parodistic. A description of Lake Kammer in Austria can be appreciated in itself, or it can amuse the reader of *I Promessi Sposi* as a clever pastiche of Manzoni's treatment of the lake and mountains of Lecco ("La gran noia dei cosmopoliti," *Gazzetta*, 17 Nov. 1931). Moravia the surrealit is evident in his depiction of a night journey along sunken and rutted English roads surmounted by banks from which jut the roots of trees ("Gita"). Humor frequently enlivens the articles. His portrayal of the important guests at a reception in London borders on the satirical; here, for example, are George Bernard Shaw and two archbishops:

[Ecco] Bernard Shaw canuto, pulito, rosso, in un macchinoso frack di vent'anni fa; e due arcivescovi in vestito viola, settecentesco, con certe brache corte e certe calze di seta che accentuavano la senilità delle gambe piegate e storte e li

facevano rassomigliare a quei servitori vecchi e fedeli che nel
cattivo cinematografo umano rispettosamente sermoneggiano
i loro giovani e scapestrati padroni   ("L'India a St. James
Square," *Stampa*, 24 Jan. 1931).

His account of the discomfort of an English bath is most entertaining.
Moravia the student of history remarks that bathing often makes him
think of Marat, then he relates his own unhappy though not fatal
misfortune in the British bathtub:

L'aria era buia e gelata, in fondo alla vasca erano due dita di
acqua bollente.   Battendo i denti, e tremando di freddo fino
alla cintola, bruciando come un dannato dalla cintola in giù
pensavo a Marat e pensavo alla tremenda assenza di ogni
comodità in Inghilterra. Niente riscaldamento centrale, niente
acqua corrente, spesso niente luce elettrica.   Tra queste
riflessioni mi accorsi che l'acqua si gelava, mi alzai allora e
mezzo crudo e mezzo cotto, corsi a rivestirmi in camera
("Aria di Cambridge," *Stampa*, 23 Dec. 1930).

Above all, however, his decision not to limit himself to the
physical aspects of a country--its weather, food, cities, creature
comforts--permitted him to explore in these articles the way of life
and the character of its people. Some of Moravia's encounters with
others were brief and casual, as when he chanced to see socialites
("annoiati ed egoisti") leaving the theater ("Arrivo"). More often
(perhaps because they were more numerous), he described the
disadvantaged: London's street people, an Italian waitress in a Chinese
restaurant in Soho, or the cold and frightened children who stood
waiting in the dark outside a pub while their parents drank inside,
because British law forbade minors to enter taverns.
    Moravia was not obliged, however, to rely only on chance to
bring him into contact with the English. The young visitor was in a
most privileged position, for he brought with him to England letters
of introduction from Bernard Berenson, whom he had met in 1927 and
to whom he had read *Gli indifferenti* at the art critic's villa outside
Florence. These papers admitted him to the houses of aristocrats and
intellectuals alike. He seldom admired what he found. He was
invited, for example, to attend a Round Table Conference on India in
the home of the Viscountess Lady Astor (Elkann 57); the portrait that
he draws of those present reveals his different attitudes toward the two

main groups of guests: he is overawed by the exotic dress and appearance of the Indians while his reaction to the English is amused, his depiction of them caricatural. The number of decorations on the chests of almost every Englishman astonishes him and imparts to those who wear them an air of excessive respectability, which is, he says, a relic from the past century that should be cast off, for he regards it as one of the most irritating traits of the British ("L'India").

Elsewhere Moravia also finds the established nobility struggling desperately to hold on to a way of life that has degenerated into anachronistic gestures mindlessly repeated. In Czechoslovakia he visits an aging princess in her castle near Prague.[11] Their conversation soon turns to the enormous changes that World War I wrought in the lives of the aristocratic class, an inevitable subject among the nobility, according to Moravia. The princess laments the passing of the old order but is confident that those who work the land for her will remain devoted lieges. Moravia is skeptical: it is but a matter of time before they will demand and achieve full independence. The aristocracy, he notes, has remained faithful to its memories of past grandeur, and it still attempts to fill what are now empty lives with parties and travels from one castle to another; but there is no longer a vital spark in the class ("Castello").

In still another castle[12] Moravia observes even more closely the shallow life of the upper classes, this time that of the younger generation. A group of 30-year-olds constitutes "un mondo invertebrato, cosmopolita, dissociato, che non pensa che a divertirsi." But their "divertimento" is neither restorative amusement nor health-giving joy; on the contrary, it enables them to avoid thinking about serious matters and participating in the world. In these young people "è difficile trovare . . . la freschezza un po' insipida e grossolana della giovinezza." Even their love affairs are "di una complessità apparente e di una reale vuotaggine," and they have difficulty sustaining a conversation: "ogni tanto, simile ad una fiammata tardiva in un fuoco quasi spento, qualcheduno si attacca ad un soggetto, lo sviluppa nel gran silenzio, in un modo ironico e allusivo che strappa qualche sorriso, qualche esclamazione, e tutto finisce senza commenti." They do not even dance; they drink, and they begin to play billiards but soon wander vacantly away from their unfinished game. Not content in the country, they make frequent jaunts into the city to see a movie, but these trips only confirm "la loro sete di novità, sempre delusa e pure sempre rinascente." Ironically, Moravia observes, journalists will photograph them in the

city, on the beach, or at play on their estates; and readers will gaze at
these images and envy the cosmopolitan life of the privileged ("La
gran noia").

Throughout Europe, wherever Moravia travels, he witnesses
the same boredom, a sometimes frenetic yet ultimately vacant
existence. It is as though life is suspended in anticipation of some
event, even some cataclysm that will shake these silk-stockings from
their idle stupor and bring meaning to their lives: the nobility clings
to empty form while the *nouveau riche* cherish their modernity, their
machines, their leisure--but they are all bored, and contentment eludes
them.

This indifference to life was not the sole preserve of the upper
classes and the philistine bourgeoisie: Moravia also found it prevalent
among intellectuals, or at least the English intellectuals. Berenson's
letters were especially important in admitting him to the salons of
Lady Colefax and of Lady Ottoline Morell, who hosted the waning
years of the Bloomsbury group. As a result Moravia was introduced
to Lytton Strachey, E. M. Forster, H. G. Wells, W. B. Yeats, T. S.
Eliot, Aldous and Julian Huxley, and others (Luksic, 66). The
luminaries whom he met appear to have been kind but not exception-
ally interested in the author of *Gli indifferenti*; by his own admission
Moravia was "taken for granted" (Luksic, 67) a spectator rather than
a participant in the conversations; a few general questions would be
addressed to him and then he would be "piantato in asso" (Elkann,
62). Such treatment may account in part for his low esteem of the
British intelligentsia. Although individually they were "amabilissime
persone," he wrote that

> non ci può essere fenomeno più angusto, sterile ed esasperante
> che un gruppo sociale esclusivamente formato di intellettuali.
> Il gruppo è come una camera foderata di specchi, che chi ci
> abita non vede che se stesso, niente altro che se stesso e
> dovunque si volti. . . . I discorsi volgono quasi sempre sia sui
> casi personali dei conoscenti, sia sull'arte intesa in un modo
> anatomico, tecnico, libresco. Grande è il disinteresse per le
> idee; di politica non si occupano: c'è in loro una pigrizia
> mentale, una intelligenza abile, una mancanza di calore, di
> solutori di sciarade. ("Il gruppo di Bloomsbury," 9 Dec.
> 1930)

Determining Moravia's sociopolitical position during these

early years of the 1930s is an intricate task. Given his impatience with the privileged and intellectual classes as well as his frequent characterization of European middle-class life as empty and meaningless, one can scarcely call him a conservative. Yet he is by no means a radical, nor even a progressive. Industrialization, technology, and the innovations of the twentieth century have resulted, he maintains, in a loss of freedom and identity for the individual, and an unrelieved monotony in modern housing and cities. Paris is a machine, the new buildings of Prague stand in harsh contrast to the variety and fantasy of its Baroque architecture, and the thread that binds together all his criticisms of England is the insufferable monotony he encounters. Not only is the weather uniformly dreary and the food always the same, but one London street is like another. In Bloomsbury, where every street unfailingly ends in a small park, the houses are so flat and similar that they seem painted on a backdrop ("Gruppo di Bloomsbury"). Worst of all are the new suburbs: "Poche cose sono così brutte e rattristanti come i sobborghi nuovi di Londra." In fact, "nessun Diavolo Zoppo dei nostri tempi ardirebbe scoperchiare [queste case] per timore di dover morire dalla noia" ("Pedagogia inglese: Da servitore a giustiziere," 29 May 1932).

The monotony of the physical environment has its psychological counterpart: the term *noia* and the experience of it permeate Moravia's journalism in the thirties as it had suffused *Gli indifferenti*. Nowhere, however, is it more evident than in his article entitled "Domenica con lo scirocco," (28 May 1933), the most original and even perplexing work that Moravia published during these years. Had it appeared in the *Corriere della Sera* in the late fifties or sixties, the reader familiar with Moravia's fiction would have accepted it unquestionably as a short story. Its divergence, however, from the form of his short fiction written during the 1930s leads to the conclusion that the work is a slightly nostalgic yet thoroughly cynical description of the 25-year-old's view of life on a particular day. Unlike his stories from this period, "Domenica" is written in the first person and there is a single character, the narrator himself: all of Moravia's other fiction is in the third person and it is dramatic, i.e., there is interaction between two or more human characters. In this piece the tension is between the narrator and a nonhuman figure, the hot and humid wind of the *scirocco*, which is clearly the embodiment of *noia*:

Ci sono delle domeniche di primavera nelle quali lo scirocco,

vento della realtà piatta e meschina, soffia sulla città indifesa
riempiendo il cielo di una nuvolaglia diffusa e immobile, di
un colore smorto e senza tempo che nella memoria rimane
come quello stesso della noia.

On such a Sunday the narrator boards a tram with no
particular destination in mind. He passes a certain villa in which there
used to live "una gran macchina di donna" whom he had courted
assiduously a few years earlier, and he determines that it was *noia* that
had put an end to the relation. As the tram rolls past a public park the
narrator remembers that he used to play there; musing on the relative
happiness of childhood, he disputes the commonly held conviction that
it is the happiest and most harmonious period of life:

> Quei giorni della mia infanzia [furono] indubbiamente non
> meno pesanti e stralunati di questa domenica sciroccale. . . .
> Per me, . . . l'infanzia non fu che un limbo noioso, combat-
> tuto tra i presentimenti e la naturale incapacità di chiarirli, . .
> . un'età senza veri dolori né vere gioie, oscura, opaca, grossa,
> simile a quelle torbide e inerti giornate alle quali non è
> possibile illuminarsi e purificare senza la devastazione di un
> temporale.

Such reflections recall those made by Michele in *Gli indifferenti* as he
walked the streets of Rome; but in addition to the provocative
comparisons that may be drawn between the states of mind of the
narrator and of the fictional Michele, "Domenica" also establishes a
metaphoric identification of *lo scirocco* with *la noia*. Indeed, one can
ask whether the hot African wind induces the pessimistic attitude (the
deleterious effects of the *scirocco* on mind and behavior are commonly known)[13] or whether we are here in the presence of a twentieth-century pathetic fallacy, in which meteorological phenomena mirror the
narrator's state of mind. However one may choose to answer, the
identification of the wind with *noia* results in a journalistic piece that
is closer to imaginative literature than to documentary reportage.

In these newspaper articles, it is evident that the pervasive
monotony and *noia* of the twentieth-century civilization created by the
bourgeoisie is the major problem afflicting the lives of men and
women. Now, since Moravia discarded the intelligentsia, the upper,
and the middle classes as potential sources of renewal for the human

spirit, can one then infer that the only remaining hope for the future lies with the masses? Perhaps; but it is a cautious "perhaps." Unlike many of his intellectual contemporaries in the United States and Europe during the 1930s, Moravia was by no means a confirmed populist. During the walk described in "Domenica," the narrator encounters the masses at a soccer game, where he studies the faces of the spectators:

> E come sono quelle facce? normali. . . . Le guardo, non posso fare a meno di leggere su ogni faccia una storia stupida e sporca, piena di sciocchezze, di amor proprio, di vanità, di frastuono e di assurde passioni e mi stupisce che ciononostante, sia pure in un modo tutto fisico e incosciente, le donne aspirino tuttora alla bellezza e gli uomini alla dignità.

After he leaves the stadium, he joins a crowd of Sunday strollers, and his extreme and even cruel misanthropy targets three old and pitifully shabby women:

> Cammino anch'io dietro questo gregge, ad un tratto i miei sguardi rivolti a terra vedono sei piedi posati sul marciapiede come quelli delle anatre, dai piedi passano alle gambe molli e incerte di cui sono imbottite le calze lente, dalle gambe alle gonne stinte e penzolanti, piene e deformi come i sacconi dei cenciaiuoli: sono tre vecchie grasse, tre parche senza fuso, che passo passo, chiacchierando fitto tra di loro, lentissimamente avanzano. Questa vista mi piace così poco, tanto meno il pensiero di dovere seguire quelle tre vecchie oppure precederle, che entro in fretta in un cinematografo.

One would like in a spirit of charity to attribute this intolerant attitude to the effects of the *scirocco-noia* and to hope that the rain that is falling when he leaves the cinema will dispel the *scirocco*, the *noia*, and the young narrator's apparent antipathy toward the masses. Unhappily, similar opinions of the common people appear in other articles that are more measured and objective than this personal account. Indeed, if Moravia is condescending and hostile toward the Italian masses, he is downright insulting to those in England. He even excuses the snobbery of the English by noting that it is a defense against the lower classes who impress him as extraordinarily vulgar: "in questo paese la gente volgare è veramente volgarissima e non nel modo popolaresco e bonario della plebe mediterranea, bensì in un suo modo provvisorio, misero, morale; e non solo nell'aspetto fisico, ma nel modo di pensare, nei gusti, nelle aspirazioni" ("Snobismo degli inglesi," *Stampa*, 19 Feb. 1931).

Of especial interest to the question of Moravia and the proletariat is an article entitled "Irrazionalità delle masse" (31 May 1934). Despite its recent popularity, Moravia argues, the term and the concept of "masses" in the sense of a multitude of people and as the opposite of "individual" has a long history. He recalls Giacomo Leopardi's "Dialogo di Tristano e di un amico" in which the poet questions the existence of the masses as an entity, since it is ultimately composed of many individuals. Moravia disagrees: the common people do exist, they have always existed, and they will continue to exist. They are not, however, composed of individuals if the qualities of an individual are "il carattere inteso come differenziazione, la libertà dell'intelletto, la coscienza morale, il dominio della ragione sulle passioni e degli istinti sociali su quelli egoistici, la capacità di agire individualmente e fuori di ogni interesse e ogni necessità materiale." These are not, Moravia maintains, qualities typical of the proletariat: they are either completely absent or they are only partially present in a confused state that resembles a dream rather than reality. The masses obey obscure and profound impulses, not economic or social or political necessities; they are, in other words, irrational. In Moravia's opinion, scholars and orators of the post-World War I period have erred in their appeal to the common people by speaking to them about the State, social discipline, and collective organization; such an approach presupposes that their listeners possess a bur-eaucratic and analytic rationality. The contrary is the case:

> In verità Stato, disciplina, ordinamenti collettivi, tutte queste cose che nelle menti degli intellettuali e dei borghesi sono chiare e intelligibili come le operazioni aritmetiche, la massa o le sente a modo suo, ossia irrazionalmente, come riti, magie, operazioni quasi religiose, oppure non le sente affatto.

At this point one might easily charge Moravia with elitism; yet in words and tones that foreshadow the essay "L'uomo come fine,"[14] he maintains that this very irrationality, this "religiosità elementare" constitutes the positive value of the masses. In an almost apocalyptic conclusion to his article, Moravia describes this mysterious essence of the proletariat and alludes to the hope that it holds for humanity:

La necessità dà all'uomo il senso della propria impotenza, amaro regalo, ma, quando si faccia tirannica e sembri volersi impossessare di ogni sua fibra e, togliendogli qualsiasi libertà, disumanarlo, gli ridà, a gradi e senza quasi che se ne accorga, quel senso del mistero che le convenzioni sociali e il benessere materiale gli avevano fatto perdere. L'orgoglioso aristocratico vive in un mondo tutto umano e però delimitato ed artificiale; l'uomo della massa, infrante le società e le loro morali utilitarie, ritrova in fondo alle città assurdamente industriose e ordinate quel medesimo terrore cosmico che assaliva il primitivo di fronte alle convulsioni della natura. La numerosa materia, perduto ogni significato simbolico, ridiventa per lui caotica e misteriosa, il destino, sbarrato dalla necessità, lascia le vie usate e impraticabili del mondo e si fissa come le stelle in una altezza inaccessibile alla ragione umana, prendendo il colore della speranza, diventando irrazionale e inscrutabile. Quando ciò avviene, ossia quando l'arbitrio materiale sembra essersi fatto sovrano, l'uomo essere caduto in completa servitù e la luce stessa del sole, a forza di illuminare imparzialmente un mondo irto e primordiale, essere fatta di tenebre, allora l'irrazionalismo della massa si rivela assai più positivo di ogni sforzo razionale e, concretandosi lentissimamente in riti, in credenze, in magie, ridà all'uomo quelle umane libertà che si credevano per sempre perdute.

The similarity between some of the topics that Moravia touches upon in this article and those that he treats nearly fifteen years later in "L'uomo come fine" is remarkable: the dehumanizing influence of modern life, the irrational as a more elemental human characteristic than is rationality, the central position of hope in the scheme of things, and his view of people as fundamentally spiritual creatures.

The articles that Moravia wrote in the thirties document his profound dissatisfaction with and disapproval of life as he found it throughout Europe. His tone and attitude are frequently those of a moralist,[15] and behind his facade of boredom and disgust there is also an idealist. Moravia is a young man in search of an answer or answers to his unhappy situation, and it is in large measure a spiritual quest. The reader glimpses this aspect of Moravia in his stated respect for the energetic industry of the Czech people and in his pity for the mistreated pupils in British public schools ("Pedagogia") or for those shivering children outside the pub. Nor is it unreasonable to speculate that during these years he was seeking guidance, perhaps unwittingly, from his Semitic heritage.[16] In London, for example, he apparently went often to the impoverished Jewish quarter in Whitechapel, where he would buy *La Gazzetta d'Israele*; on at least two successive evenings he attended plays acted in Hebrew and in Yiddish. Of especial importance is his emotional reaction to the Jewish cemetery in Prague, an experience so strong that he remembered it vividly sixty years later.[17] Yet his quest seems to have come to naught: Judaism occupied no significant role in his life, and, despite his reading of Karl Marx about 1935, Moravia did not propound a positive solution to the problems that he experienced until he embraced the "myth of the people" in the mid-1940s.[18]

Despite Moravia's failure to discover any political, social, or spiritual conviction that would bring order and meaning to what was unrelentingly nebulous, chaotic, and irrational, he did find in art a solid and reliable ground from which he could survey and measure his world. Although Moravia was not socially or politically conservative (or liberal, for that matter), his conservatism in art is quite apparent. His sole article on the plastic arts deals not with a contemporary artist (of whom he knew several personally)[19] but treats instead a painter of the seventeenth century. "Rembrandt pittore dell'inquietudine" (8 Sept. 1934) is a careful and detailed appreciation of the Dutch master in whom Moravia perceives an artist both of reality and of fantasy. The work is particularly significant because it was the first of many articles that Moravia would write on painters and sculptors. His opinion of avant-garde art is revealed in his reactions to a small exhibition that he visited in Cambridge, where his tastes obviously did not reflect those of his English hosts: "L'esposizione consisteva in un disegno di Cocteau, in quattro figurini per balletto tipo Bakst e in due paesaggi. C'erano anche, ed erano le cose più ammirate, dei disegni pseudometafisici d'una puerilità irritante, pallottole, traiettorie, cubi e rombi" ("Aria").

Similarly, Moravia had scant admiration for more recently developed genres. "Il varietà" (19 Apr. 1935) chronicles the history of the British music hall, then its exportation to France where it materialized as the *café concert*. Moravia concludes that although the variety show incorporates dance and singing, its practitioners are far from being artists: they are merely entertainers trying to make a living. He is only slightly more favorable toward the cinema than he is toward the music hall, which is rather surprising since ten years later, in 1944, he will begin an uninterrupted activity as a film critic. Nevertheless, more clearly than in any other article, Moravia demonstrates in "Cinematografo" (30 Nov. 1934) his aesthetic conservatism. His criteria rest on the premise that all spectacle, if it is to be art, must have as its essential elements either music or literature, with staging and acting secondary. Opera and the legitimate theater are art, because the appropriate relations among these elements are observed. In cinema, it is just the opposite: "Musica e parola sono ancelle, messa in scena, fotografia e recitazione, padrone. . . . Il cinema non [è] un'arte, bensì uno spettacolo." Its purpose is to amuse in the Pascalian sense, to numb the spectators' awareness of their human condition; like the entertainments of the jaded upper classes, it is a drug.

> Il cinema moderno non è sentito come un incontro o un insegnamento o un'esperienza, ma come una droga lenitrice di molti mali, come un sogno fatto ad occhi aperti; come insomma il surrogato efficace di facoltà umane che sembrano estinte e non come qualcosa di superiore e di distinto dall'uomo qual è l'arte.

The second half of "Il cinematografo" concerns the American film. The Americans, Moravia alleges, have made of the cinema an industry and a spectacle. Exploiting its powerful propagandistic qualities, they have effectively made American culture the best known and the most imitated in the world. Unlike the Russian cinema which, despite its proletarian message, appeals only to the bourgeoisie and intellectuals, the movies produced in Hollywood are intended for the common people. As though to secure his argument that cinema is not art, he concludes with the astonishing statement that it cannot be art precisely because it was developed and perfected in the United States: "Arte il cinema? Ma allora perché gli americani che ne sono i creatori sono artisti mediocri o nulli nei campi tradizionali dell'arte, nella letteratura, nella pittura e nella scultura?"

Spectacle can, however, be art, as Moravia proposes in "Il melodramma" (9 Nov. 1934). Opera is a successful fusion operated by the eighteenth century on the artificial poetry, the lifeless drama, and the court music of the preceding century. The resulting art form represented perfectly the society that nourished it. To visit the eighteenth century, Moravia affirms, one need only go to the opera:

> Mettete tutta questa roba in fondo a un teatro dorato e pieno
> di parrucche, fate che incominci l'arpeggio magico dei violini
> e poi che dai primi accordi bellicosi e solenni si levi dolcis-
> sima la voce del soprano e le risponda quella calda, forte ed
> eroica del tenore, e avrete l'immagine indimenticabile e per
> sempre perduta di quell'epoca miracolosa.

Although the modern detractors of opera (whose numbers were
apparently increasing during the thirties) accuse it of being false and
incoherent, opera, when appreciated in the context of the society that
produced it, is quite serious.

> Ma in origine il melodramma fu invece una cosa seria . . . .
> Le situazioni inverosimili, gli stracci e i personaggi irreali
> stavano lì a significare la potenza di un'immaginazione
> liberissima da ogni freno materiale e avida di armonie
> sovrumane e meravigliose, un'immaginazione che, anche per
> la sua ironia, chiamerei ariostesca.

Opera is art, Moravia concludes, because in it music and literature
fuse to create the expression of an era; like great architecture, the
result is an organic whole, "simile ad un palazzo di superbe armonie
dalle stanze dorate piene di echi, di miraggi e di amabili fantasmi."
       Moravia wrote two articles on traditional literary genres:
tragedy and, in a broad sense, comedy. Neither is especially noteworthy, for they lack depth and sometimes coherence: his treatment of
tragedy resembles a collection of notes written in a somewhat
telegraphic style. Still, the pieces are reliable indicators of Moravia's
aesthetic criteria in that they both emphasize, perhaps to an exaggerated degree, the necessary prominence of the individual in the work
of art and the rarity of the individual in the modern world. "La
tragedia" is the earlier of the two pieces, appearing in the *La Gazzetta*
of 20 July 1934. In it Moravia maintains that fate is the necessary
ingredient for tragedy, but he understands the term in a particular way:
fate is the liberty given to man to carry the essential traits of his
character to their most extreme consequences. Also necessary to
tragedy is myth, for it confers a freedom from verisimilitude that
permits full and unhampered development of the moral and poetic
aspects of the world of the tragedy. Most originally, Moravia asserts
that almost all tragic heroes have been persons of high birth and
standing not because the aristocratic character alone is sufficiently

powerful to sustain tragedy, but because the case of a Julius Caesar or a Richard III ambitiously and vainly striving to be greater than he possibly can be is in itself tragic.

Compared to Moravia's thoughts on tragedy, "Il teatro comico" (La Gazzetta, 28 Sept. 1934) is more substantial and original. The novelist regards the misunderstanding ("l'equivoco ossia la vicendevole incomprensione dei personaggi") as one of the fundamental sources of comedy. The "equivoco" depends on the comic character's becoming so isolated in his solitude that he cannot understand or even admit the existence of persons different from himself. In a great man and if it is balanced by other qualities, this intolerance can be bearable; in a mediocre one it is only ludicrous. For this reason Moravia considers the stock character to be the most comic of all precisely because he is his character: the Miser cannot be other than miserly nor recognize any value other than miserliness. Indeed, Moravia maintains that modern comedy is so rare because there are no longer individual characters consumed by their human passions:

> Oggigiorno non ci sono più personaggi comici per lo stesso motivo che ha fatto scomparire il personaggi tragici. E questo motivo è che l'uomo sembra tendere a perdere ogni carattere personale e ad annegarsi nella massa. . . . E infatti si ragiona non più di persone ma di masse; e l'incomprensione non è più tra gli uomini ormai accomunati e fusi in tre o quattro bisogni naturali, ma tra le classi, tra le collettività, tra le nazioni. A prova di ciò basta pensare all'aneddotistica che non si esercita più sui vizi umani ma su quelli nazionali e collettivi. Non si ride più degli avari o dei libertini, ma degli inglesi, dei russi, dei francesi, dei tedeschi, oppure dei capitalisti, degli operai, dei burocrati, degli intellettuali e dei commercianti. Però questo sciocco e volgare collettivismo durerà poco, nel riso meno che altrove.

A second source of the comic is the element of deceit, which leads to the complicity of the spectator with one of the characters; together they participate in the jokes and tricks played upon the unwary third person. When deceit is absent, so is comedy. As an example Moravia cites the comic situation in which the wife and her lover trick the unsuspecting husband. If, however, as often happens in modern comedy, the three discuss the situation openly and philosophically, comedy fails.

The only article in which Moravia expounded his ideas on fiction appeared 25 April 1934 and was entitled "Il parere di un romanziere."[20] He offered it as his contribution to an extended polemic that was published in *La Gazzetta* under the heading "La tenzone del 'romanzo collettivo.'" The sometimes fierce controversy was ignited when the publisher Valentino Bompiani maintained that the fictional genre that best represented contemporary life was the "collective novel"--the novel of the masses--and that such novels were what the public wanted to read. Social and choral in nature, the collective novel had as its champions James Joyce, Marcel Proust, and John Dos Passos. Massimo Bontempelli objected strenuously: where in such a novel, he questioned, is the poetry? Although Moravia, inimical to purely aesthetic criticism,[21] applauded Bompiani for his insistence on conducting the debate on a practical and speculative level and thereby avoiding the "zona pericolosa e controversa della critica estetica," he disagreed strongly that the collective novel is the modern fictional genre *par excellence*: far from being "modern" it is the last remnant of the nineteenth century. Joyce's *Ulysses*, he maintains, is the result of carrying the Veristic aesthetic to its extreme. "*Ulisse* porta logicamente sia al documento grezzo sia all'incongruenza più pazza." In a different way, Proust achieves the same results. "Così Joyce come Proust sono due prodotti *fin de siècle*, due vicoli ciechi, al di là dei quali cessa l'arte e incomincia il documentario e il saggio psico-analitico."

After his denial of the relevance of the collective novel, Moravia recognizes that Bompiani has the right to ask him what the ideal novel of the twentieth century will be. "Potrei rispondere," replies Moravia, "che il romanzo del futuro sarà come lo faranno i romanzieri e non come lo vorranno gli editori e i lettori; ma è una risposta troppo ovvia e superba insieme; perciò veniamo ai particolari." Moravia begins by denying that the masses are "the latest thing" ("il fatto nuovo del giorno," in his words). On the contrary, the cult of personality is what characterizes the twentieth century, and he avers that this is the case in politics, sports, the cinema, the world of finance, in fact everywhere. As examples he cites the overweening figures of Mussolini, Roosevelt, Stalin, Hitler, Chaplin, Al Capone. The cult of personality is indeed peculiar to our century, because it has been created and nourished by journalism and by the two modern media of radio and the film. Furthermore, Moravia denies that the masses want an art for the masses, an art that will reflect their human condition; in art as in politics, the masses want to be distracted from their existential situation, not made aware of it. They prefer to read about people whose lives and destinies are more glamorous and significant than their own. Compare, Moravia urges, the limited popularity of King Vidor's collective films *The Crowd* (1928) and *Hallelujah* (1929) with the far greater success of films starring Greta Garbo or Marlene Dietrich. Similarly, the reading public prefers novelized biographies and crime stories to the novels of Dos Passos and Alfred Döblin. And Moravia concludes:

> Il romanzo del futuro non sarà collettivo ma eroico. Ossia concreterà in personaggi le correnti morali e politiche dominanti. E non saranno personaggi qualsiasi, presi a caso dalla folla, grigi e anonimi, ma personaggi rappresentativi, introvabili nella folla, e nei quali tuttavia la folla si riconoscerà. Per conto mio ho fiducia in un romanzo moralistico, politico e magari filosofico, nel quale l'intreccio abbia un valore tendenzioso e allegorico non dissimile da quello della parabola, un romanzo insomma di immaginazione e di idealità e non di trita e fotografica realtà.

Moravia thus sets forth in 1934 a prescient description of the fiction that he will write during the next half-century. His characters will indeed concretize the dominant moral and political currents. One need only think of the figures of Agostino, Cesira in *La ciociara*, the conformist Marcello Clerici, and the inner life of Desideria (*La vita interiore*). His novels will be moralistic (*La romana*), political (*La mascherata*), and philosophical (*La noia*, the embodiment of the *romanzo-saggio*). Finally, in the early sixties, thirty years after his announcement of the allegorical novel, he gave his best example of it in *L'attenzione*.[22]

It has often been said that all of Moravia is to be found in his first novel. The statement is exaggerated, perhaps even misleading. There is no question, however, that the journalist of the early thirties already had within him, *in nuce* as it were, most of the ideas and many of the characteristics of the later writer and man. He clearly evinces disappointment with and a disdain for contemporary life as it is constituted, an impatience with its pettiness, its snobbery, its materialism, and its ugliness. But there is also an absence of bitterness; the young Moravia is cynical but he is not filled with despair. Ultimately, what transpires from beneath the veil of pessimism cast over many of these articles is an emanating moralism in search of an object upon which to act.

(Louis Kibler. Wayne State University)

NOTES

[1]See Oreste del Buono, ed., *Moravia* (Milan: Feltrinelli, 1962), 12; and Giuliano Dego, *Moravia* (New York: Barnes & Noble, 1966), 29.

[2]Alain Elkann and Alberto Moravia, *Vita di Moravia* (Milan: Bompiani, 1990), 56.

[3]Cesare Puelli, "Un'autobiografia intima di Alberto Moravia," *Langues Néo-latines*, no. 180 (1967), 97. Moravia apparently did not even receive travel expenses: his father financed all his trips abroad until about 1940.

[4]Moravia later told Vania Luksic: ". . . le voyage est un élément essentiel de ma vie. Lorsque j'étais enfant, je rêvais déjà de voyager. J'étais d'ailleurs très calé en géographie. L'histoire et la géographie étaient les deux matières que je connaissais le mieux (mieux même que l'italien, où je faisais beaucoup d'erreurs)" (Vania Luksic and Alberto Moravia, *Le roi est nu*, Paris: Stock, 1979, 64).

[5]Puelli, 97. Moravia's native city, capital of the Fascist regime, ". . . era una città priva di qualsiasi attrattiva: il fascismo pesava su tutto. . . . Gli anni tra il '29 e il '35 sono stati gli anni più noiosi della mia vita, contandoci pure il tempo che passavo in montagna a curarmi" (Enzo Siciliano, *Moravia* Milan: Longanesi, 1971, 44).

[6]"Tristezza di Praga" appeared in *La Gazzetta del Popolo* on 1 September 1931, and "Castello in Boemia: Viaggio in Cecoslovacchia" on 11 September. After "Tombe di monarchi a Ravenna" was published in the *Gazzetta* of 9 November 1933, no more was heard from Moravia until 25 April 1934, when "Il parere di un romanziere" appeared. All subsequent references to the articles in these newspapers will carry the name of the publication only for articles that appeared in 1931: the articles that appeared in 1930 will be found in *La Stampa*, while those carrying the date of 1932 or later are from *La Gazzetta del Popolo*.

[7](Lanciano: Carabba, 1935; repr. Milan: Bompiani, 1976). The stories are: "La noia," "Visita crudele," "Lo snob," and "La bella vita." Curiously, the latter story was reprinted with minor modifications in a collection of new stories, *L'automa* (Milan: Bompiani, 1962). All subsequent references to Moravia's works assumes their publication in Milan by Bompiani, unless otherwise indicated.

[8]1940; repr. in *L'epidemia: Racconti surrealisti e satirici* (1956) and in *Racconti surrealisti e satirici* (1982).

[9]In a paper entitled "Moravia in America" presented at the ACTFL-AATI Conference in Washington on 24 November 1991, Luciano Rebay demonstrated convincingly that there are notable discrepancies between accounts of events in Moravia's life as they are recorded in the interviews of Elkann's *Vita di Moravia* and as they are represented by contemporary documents from the historical period in question. The reader should therefore exercise caution before placing absolute faith in Moravia's latter-day recollections of events that occurred in a remote time.

[10]Drinking was scarcely pleasurable, either. British pubs were dirty, "luridi e tristi," with an atmosphere that was "furtiva, miserabile, degradata." "Il *pub* è semplicemente lugubre," wrote Moravia ("Taverne londinesi," *Stampa*, 7 Jan. 1931).

[11]This is almost certainly the Thurn und Taxis castle, the visit to which Moravia described in one of his interviews with Alain Elkann: "[io e un nobile fiorentino] andammo a trovare i principi Thurn und Taxis. La principessa era molto anziana, si diceva che avesse fatto l'amore con D'Annunzio. O per lo meno, aveva un libro di D'Annunzio con questa dedica: 'Alla più bella principessa del Danubio blu, D'Annunzio.' Il castello era magnifico" (Elkann, 85).

[12]This is probably the castle on Lake Kammer near Salzburg that Moravia visited in 1932. Owned by the descendants of the musician Felix Mendelssohn-Bartholdy, the mansion was host to "un gruppo di amici inglesi, scrittori, attori, politici, in un'atmosfera che oggi chiamiamo di anteguerra: civile, un po' decadente, raffinata" (Elkann, 85). It was in Austria, one year before Hitler came to power, that Moravia first became aware of the Nazi swastika, which was painted all over city. For him it was a revelation, and he could feel the approaching storm. But in the castle, he remarked, life went on as though it would never change in a thousand years (Luksic, 68).

[13]When the *scirocco* blows in Italy, there is a significant rise in crimes of violence. A similar phenomenon has been observed in southern France during the *mistral*.

[14]In *L'uomo come fine* (1963), 193-248. Written about 1946, the essay is a profession of faith in the sacred quality of human beings and in their fundamentally irrational and unknowable character.

[15]Moravia's role as moralist was first noted by Arnaldo Frateili in a review of *Gli indifferenti* (*La Tribuna*, 13 Aug. 1929); Luigi Russo also explored Moravia's moralistic bent in his important article, "Alberto Moravia: Scrittore senza storia" (*Belfagor*, March 1946).

[16]Although the family of Moravia's father, Carlo Pincherle, was Jewish, he himself was not an observing Jew, and Moravia was not reared in the Judaic tradition. His mother was a practicing Catholic, and her son was baptized in that faith.

[17]"Ricordo il cimitero ebraico: mi fece molta impressione, bellissimo, selvaggio, con tanti alberi contorti, neri. . ." (Elkann, 85).

[18]Moravia perceived in the common people an authentic rapport with reality that was in sharp contrast to the alienation experienced by the bourgeois. He discarded this faith in the people in the mid-1950s, because the solutions indicated by the myth of the people were irrelevant to the problems of the bourgeois intellectual.

[19]In London during 1930-31, he lived in the same boardinghouse as Carlo Levi and Enrico Paolucci. He even succeeded in persuading the Tate Gallery to buy one of Levi's paintings (Elkann, 57). For further information on Moravia's art criticism, I refer the reader to my article "Moravia and Guttuso: A la recherche de la réalité perdue," *Italica*, 56 (Summer 1979), 198-212.

[20]This was not, however, Moravia's debut as a literary critic: his first published work was an essay entitled "C'è una crisi del romanzo?" (*Fiera Letteraria*, 9 Oct. 1927). He also published "*Gli indifferenti* giudicato dall'autore" (*Tevere*, 6 Jan. 1933), "Romanzo e biografia" (*Oggi*, Dec. 1933), and "La moda del collettivismo" (*Oggi*, Feb. 1934).

[21]The prevalence of purely aesthetic criticism was one of Moravia's strongest objections to the Bloomsbury group. Later in the article on the "romanzo collettivo" Moravia asserts that "la grandissima parte [dei] capolavori furono creati in tempi nei quali la critica estetica o non esisteva

affatto o era superficiale e sbagliata."

[22]The idea of the allegorical or metaphorical novel was elaborated in "Note sul romanzo" (*L'uomo come fine*, 261-72).

"La Faccia da cameriere": An Existential Glance at Two of Moravia's Waiters

James D. LeBlanc

Jean-Paul Sartre has left us some memorable characters. There is the ontologically stricken Roquentin of *La Nausée*, the existentially redeemed Mathieu of *Les Chemins de la liberté*, and the disturbingly condemned trio of Garcin, Inès and Estelle who appear in *Huis clos*. But in addition to these fictional heroes and/or anti-heroes who inhabit the world of Sartre's *belles lettres*, there is another figure who may be nearly as well-known and certainly as important in terms of the overall perspective of Sartrean thought, although he appears only briefly in one of the author's non-literary, daunting and difficult philosophical works. The café waiter, from the often anthologized "*mauvaise foi*" chapter of *L'Être et le néant*, survives among Sartre's leading *dramatis personae* because of the importance of the concept he is marshalled forth to illustrate. Appearing in such English language texts as *Existentialism from Dostoevsky to Sartre* and *Existential Psychoanalysis*,[1] the chapter on bad faith is often the only exposure that the casual reader of Sartre gets to the dense complexity of the philosopher's lengthy phenomenological examination of being. Hence, the relative notoriety of the anonymous employee of the *Café Flore* or the *Deux Magots* in the early '40s, plucked from the everyday environment of a writer who was searching for an exemplary figure through which to illustrate his notion of *mauvaise foi*.

Alberto Moravia, in his *Racconti romani* (a collection published in 1954, ten years after the French edition of *L'Etre et le néant*), presents two more waiters who are of some exemplary importance for an existential inquiry. They are Alfredo, the "Pensatore," and Gigi, the star of the tale entitled "Le Sue giornate": two working class types from Moravia's Roman world who, as I hope to demonstrate, embody quite extensively, and certainly more dramatically, the abstract conceptual trappings of Sartrean *mauvaise foi*. Not that I wish to propose that the French philosopher exercised any overt influence on the work of the Italian writer. Connections between Sartre's brand of existentialism and that of Moravia's fiction have been often suggested, but usually dismissed --a phenomenon most easily attributed to Moravia's own disavowal of any Sartrean philosophical roots.[2] Furthermore, as Giose Rimanelli observantly puts it: "Whether or not Moravia gives place to volition in his universe, so highly psychologically and materialistically determined, is a point that is ambiguous."[3] Indeed, more often than not, Moravia's protagonists seem to be the unlucky victims of a cruelly ironic fate, their best efforts to improve their lot yielding results that are nearly the exact opposite of what they initially set out to achieve. Whether or not these failures (which, by the way, are far more pervasive in the densely narrative *Racconti* than in the more slowly-developing and descriptive novels) are intended by Moravia to be somehow attributable to willfulness and/or some kind of self-induced psychological blindness [i.e. bad faith] on the part of his characters is difficult to ascertain, although the ironic distance that one senses between the author of the tales and their "heroes" suggests the plausibility of such a reading. Determinism has no place in Sartre's universe, of course, except insofar as one might embrace such a notion in an effort to deny the responsibility of one's freedom. But it is, in fact, precisely at this locus of determinism as denial, of deterministic causality as *mauvaise foi*, that "Il Pensatore" and "Le Sue giornate" yield their most cogent existential messages. Whether or not Moravia is a writer of Sartrean bent is a moot point, for the two *camerieri* of the *Racconti romani* serve nonetheless as excellent case studies and paradigms for the further development of the theory first set forth by Sartre with the introduction of his own *garçon de café*.

"Il Pensatore," like most of Moravia's formulaic *Racconti romani* and *Nuovi racconti romani* (one hundred thirty tales in all), begins with a first person narrator introducing himself. He is a waiter at the Trasteverine restaurant "Marforio," whose name, the reader later discovers, is Alfredo. Alfredo describes himself as "[un] cameriere dentro come di fuori ... ero proprio un cameriere perfetto."[4] He attributes his virtual embodiment of waiterly perfection to his "testa vuota e sonora come quelle conchiglie che si trovano in riva al mare e il verme che ci stava dentro da chissà quanto tempo è morto" (Pensatore 63). In other words, Alfredo's head merely echoes the demands of his customers, without evaluating them. He passes no judgement, hears no insult, registers no complaint: "Insomma, non pensavo niente" (Pensatore 63). More exactly, he maintains, "avevo la testa congelata come l'acqua di certi laghetti di montagna che a primavera, sotto il sole, da ghiaccio che era ridiventa acqua e un bel mattino ricomincia a muoversi e ad incresparsi sotto il vento" (Pensatore 63). The reason for this discarding of one metaphor for another, which the narrator deems more precise, will become apparent as the story progresses. As for any outward appearance of waiterliness, Alfredo recalls the words of one of his customers: "Ma guarda quel cameriere lì che faccia di cameriere che ci ha... quello per esempio non potrebbe essere che cameriere... è nato cameriere, e morirà cameriere..." (Pensatore 63). Alfredo provides his own gloss of the patron's observation:

> Come poi sia la faccia da cameriere, vall'a sapere. Probabilmente la faccia da cameriere è proprio la faccia che piace ai clienti: i quali non hanno da avere la faccia da clienti perchè non hanno da piacere a nessuno, mentre i camerieri, se vogliono continuare a fare i camerieri, hanno da avere proprio la faccia da camerieri (Pensatore 63).

In short, Alfredo looks and acts like a waiter, echoing faithfully the words and wishes of his customers, wearing the appropriate facial expression, and thus playing perfectly the role that satisfies all the customers' expectations.

Sartre's waiter plays a role as well. The philosopher's description of the anonymous figure reads as follows:

> His movement is quick and forward, a little too precise, a little too rapid. He comes toward the patrons with a step a little too quick. He bends forward a little too eagerly; his voice, his eyes express an interest a little too solicitous for the order of the customer. Finally there he returns, trying to imitate in his walk the inflexible stiffness of some kind of automaton while carrying his tray with the recklessness of a tightrope-walker by putting it in a perpetually unstable, perpetually broken equilibrium which he perpetually re-establishes by a light movement of the arm and hand. All his behavior seems to us a game ... he gives himself the quickness and pitiless rapidity of things ... he is playing at *being* a waiter in a café.[5]

Sartre's waiter is aiming at an ideal: the essence of waiter. We must be careful here, however. The "us" to which the waiter's behavior seems a "game" is also a kind of ideal, or at least a specially limited group, for it comprises Sartre, the observing phenomenologist, and his readers, together engaged in an act of philosophical inquiry. This is not the usual lunch crowd. While it is true that the server's voice and eyes, undoubtedly like those of Moravia's Alfredo, are solicitous, it is unlikely that they are "too solicitous for the order of the [average] customer." Such an excess of solicitude could hardly earn the waiter any acclaim as a "cameriere perfetto," as Sartre himself seems to suggest as he continues:

> [T]he waiter in the café plays with his condition in order to *realize* it. This obligation is not different from that which is imposed on all tradesmen. Their condition is wholly one of ceremony. The public demands of them that they realize it as a ceremony; there is the dance of the grocer, of the tailor, of the auctioneer, by which they endeavor to persuade their clientele that they are nothing but a grocer, an auctioneer, a tailor. A grocer who dreams is offensive to the buyer, because such a grocer is not wholly a grocer. Society demands that he limit himself to his function as a grocer, just as the soldier at attention makes himself into a soldier-thing with a direct regard that does not see at all, which is no longer meant to see, since it is the rule and not the interest of the moment which determines the point he must fix his eyes on (*Being and Nothingness* 102).

Thus, the role that the café waiter must play and that he must attempt to "realize" is not a part along the lines of Hamlet, Virgina Wolf, or perhaps that of some older family member who was a waitperson before him. Rather he must aim for the being of a rock, or more precisely, as Sartre puts it, an "automaton," displaying the "quickness and pitiless rapidity of things": being-in-itself. The "faccia da cameriere" is a face whose eyes do not really see, or at least do not seem to see beyond the world of the waiter-customer situation, like those of "the soldier at attention ... [who] makes himself into a soldier-*thing*." Clearly, if a waiter appears "too solicitous" to the customer, he is a bad actor and will fail to persuade the customer to suspend his/her disbelief. He will cease to be perceived as a being that is in-itself, betraying the reality of his being-for-itself --a free consciousness. Hardly a "cameriere perfetto."

It is this smooth reflecting of the patrons' expectations of a waiter *qua* waiter-in-itself that is the key to Alfredo's initial success.

"Basta," Alfredo concludes, utilizing the word that often marks the transition between the protagonist's introduction and the commencement of the intrigue in Moravia's highly structured tales, "per un anno filato non pensai mai nulla ed eseguii gli ordini che mi davano i clienti" (Pensatore 63-64). Then things begin to change, or rather Alfredo begins to change. He begins to "think." As he phrases it: "Cominciò una sera, proprio come il ghiaccio che, al sole, si squaglia e ridiventa acqua che si muove e scorre" (Pensatore 64), repeating the melting ice metaphor. A particularly boorish customer complains harshly that Alfredo has brought him the wrong dish, a mistake that the relentlessly recording brain of the waiter *par excellence* could not possibly have engendered. Alfredo reacts:

> [I]nvece di limitarmi, come al solito, ad echeggiare le sue parole, mi sorpresi a dirmi: "Ma guarda che faccia di caprone ci ha questo cornuto." Non era un gran pensiero, lo riconosco, ma per me era importante perchè era la prima volta che pensavo da quando servivo nel ristorante (Pensatore 64).

The waiter's consciousness shakes itself awake with an insult, one that is aimed at a customer's *face*. Moreover, the birth of thought for this self-proclaimed waiter/robot arises in response to what he regards as an insult on the part of the customer. Alfredo begins to exceed his limits as a waiter ("invece di limitarmi"), at least for himself. He returns from the kitchen with the irate customer's revised order: "[P]ensai di nuovo: 'Tie'... e che tu possa strozzarti.' Un secondo pensiero, come noterete, anche questo non è un gran pensiero, ma, insomma, un pensiero" (Pensatore, p. 64). As narrator, the waiter marks this event with further clarification of what he intends by "pensare": "Da quella sera cominciai a pensare, voglio dire che cominciai a fare una cosa e a pensarne un'altra, che è poi, credo, quello che si chiama, appunto, pensare" (Pensatore 64).

Alfredo's silent, cerebral rebellion continues for some time.

About one customer he thinks: "'Ci hai baffetti, bella mia... te li scolorisci, ma si vedono lo stesso'" --about another: "'Cretino, scemo, morto di fame, ti si possa seccare la lingua, li mortacci tuoi'" --about another: "'In faccia a te, brutto scemo'" (Pensatore 64). It is noteworthy that much of this abuse is directed at the diners' faces. It is also noteworthy that the waiter's thoughts seem to be out of his control: "Era più forte di me, mi bollivano continuamente nella testa, come fagioli dentro una pentola" (Pensatore 64).

Unfortunately for Alfredo, this sudden mania for silently speaking his mind begins to intensify. Soon, in fact, his deprecatory comments to customers are no longer silent: "Ora, tutto ad un tratto, scoprii che queste frasi non le finivo più con la mente bensì con le labbra, seppure in tono più basso, anzi bassissimo, in modo da non essere udito" (Pensatore 65). As is the case with his thinking per se, the narrator intimates that this quiet mouthing of derogatory phrases is somehow beyond his control. All of a sudden, he "discovers" that he is speaking.

From this moment on in the tale, as the reader might suspect, the protagonist's tumble from the professional pinnacle of "cameriere perfetto" becomes more and more rapid. It is a short step for Alfredo from this lip-synching of what he thinks to clearly spoken verbal abuse *ad alta voce*. One evening, his comment "'[c]he faccia da burino,'" directed as usual at one of the restaurant's patrons, is overheard by the customer's companion, who, in the throes of uncontrollable laughter, repeats Alfredo's words to her not-so-amused friend. The fellow confronts Alfredo with an accusation that the waiter fervently denies, although he cannot restrain himself from murmuring once again: "'Sì, proprio una faccia da burino'" (Pensatore 65-66). Alfredo's boss steps in finally to appease the customer and to serve warning to the waiter that further such behavior will not be tolerated.

"Ormai non pensavo quasi più: parlavo ... Intanto il padrone non mi additava più ad esempio, anzi mi guardava storto" (Pensatore 66). Alfredo, as waiter, continues his decline, a fall from ontological grace that reaches bottom one evening when he must serve a table of ten rowdy revellers, who, in addition to other behavioral traits that irk Alfredo, "[d]avano ... del tu a tutti" (Pensatore 67). Being addressed with "tu" is particularly provocative to the waiter, who "cannot help" but mumble "beccamorto" more than once to the gentleman at the head of the table, as well as referring to the women present as "galline" (Pensatore 67-68). Once again Alfredo's superior intervenes, but this time, while leading the waiter away by the arm, he addresses Alfredo with "tu" --a pronouncement that draws still another "beccamorto" from the *cameriere*'s now uncontrollable lips. After his dismissal, Alfredo finds himself in the street, still in the grasp of the verbal devil that seems to have possessed him: "le labbra mi si muovevano mio malgrado, senza che potessi impedirlo" (Pensatore 69). In the end, he dubs a policeman "beccamorto" and is jailed. Oddly enough, as the story concludes after his release from prison, Alfredo's head is once again "congelata" and, after he narrowly escapes being crushed by traffic, the words of an angry motorist ring through the ex-waiter's benumbed mind: "la mia testa eccheggiava fedelmente, tale e quale come un anno prima: 'Morto di sonno... morto di sonno... morto di sonno...'" (Pensatore 69).

In what way is the waiter of Moravia's tale in bad faith? And what does Sartre's philosophical text tell us about Alfredo's plight?

First of all, it is important to note that "Il Pensatore" is in some ways an allegory of the birth of consciousness, the eruption of the for-itself into the undifferentiated density of the world of things — the in-itself. The narrator's use of the melting ice metaphor is telling. Sartre, in his discussion of the slimy (*le visqueux*), suggests that the relationship between solid ice and water is emblematic of the dynamics between in-itself and for-itself in human reality. Speaking of the slimy, the philosopher remarks: "it represents in itself a dawning triumph of the solid over the liquid — that is, a tendency of the indifferent in-itself, which is represented by the pure solid, to fix the liquidity, to absorb the for-itself which ought to dissolve it" (*Being and Nothingness* 774). Of course, it is not the slimy that is at work on the allegorical level of "Il Pensatore," but rather its reverse: liquid at first threatens to and later actually does consume solid. In fact, this onset of free consciousness, of for-itself, is so intense that the liquid is in danger of becoming vapor (Alfredo's thoughts "bollivano"). The waiter, by thinking and soon thereafter acting (not in his capacity of robotic waiter-thing, but as a free subjectivity), exceeds the limits of his role. This overt demonstration of subjectivity through a display of consciousness is troubling to his clientele, as I remarked earlier, even setting aside for a moment the insulting content of this subjective overflow. Glancing once again at Sartre's discussion of the scripted ceremony of one's condition, we read: "There are indeed many precautions to imprison a man in what he is, as if we lived in perpetual fear that he might escape from it, that he might break away and suddenly elude his condition" (*Being and Nothingness* 102). Alfredo, through his hostile, verbal escape from his condition as passive waiter-object for the Other, becomes an in-itself runs amuck in the eyes of his customers and boss: an object undermined by freedom, a being that is human, all too human.

What's more, the focus for this ontologiacl attack is, not surprisingly, the diners' faces. The waiter's look is no longer one "which does not see," his face no longer a "faccia da cameriere." Rather, Alfredo now responds as a person who is being ordered about by others for whom he has little respect. His look is one that uncovers an ontological truth and he communicates this knowledge through his unabashed speech. For Sartre, it is the Other's look that reveals to us our being-for-others, our status as object in the world of the Other — a conscious object, to be sure, but with a limited control of our being-in-the-world nonetheless:

> [I]n order for me to be what I am, it suffices merely that the Other look at me. It is not for myself, to be sure; I myself shall never succeed at realizing this being-seated which I grasp in the Other's look. I shall remain forever a consciousness. But it is for the Other ... Thus for the Other I have stripped myself of transcendence ... Strictly speaking, it is not that I perceive myself losing my freedom in order to become a *thing*, but my nature is — over there, outside my lived freedom — as a given attribute of this being which I am for the Other (*Being and Nothingness* 351-352).

Alfredo, when he is a "good" waiter, play acts the role which his customers expect to *see* in him. He becomes what he is for the Other. When he later turns on them, he attempts to lay waste to their transcendence, to reduce them to what they are *for him* — a reality totally outside their control: they become rude customers. It is the diner's face that he strikes at, that "faccia da cliente" that is not necessary as long as the "faccia da cameriere" does not see, but that becomes a look to be reduced to an ontologically fixed status, a look to be neutralized by a waiter who has had enough of his customers' faces. Even the chorus of "beccamorto" that Alfredo intones at the climax of his rebellion bespeaks the underlying object of his aggression. A "beccamorto" handles the dead: others with faces that no longer look, that betray the in-itself that the corpses have become. Moreover, the initial element of the compound -- "becca" -- metonymically suggests a bird's face void of human consciousness (and thus of ontological threats), as well as providing a signifying link between the "beccamorto" at the head of the table of ten and the "galline" who dine with him (see above, 6-7).

Alfredo ends up in prison. Having uncontrollably busted out of his role as waiter, he can no longer be a waiter. In fact, he is dismissed. Then, unable to maintain the role of the respectful citizen, he is quickly dismissed from that stage as well. In allegorical terms, it can be said that the policeman who arrests Alfredo functions as the Other, whose relentless look constantly reminds us of the limitation that the Other's existence firmly imposes on our freedom through its engendering of our being-for-others: "the Other's existence brings a factual limit to my freedom" (*Being and Nothingness* 671). It is perhaps for this reason that Alfredo decides to readopt his passive role-playing upon being released from prison, seeing the radical impossibility of living otherwise. Words echo in his head once again, but the repeated "morto di sonno," with which the narration comes to a close, serves as a reminder that Alfredo's consciousness is not really dead, but only sleeping. Sartre maintains that: "Nothingness [which consciousness brings into the world] lies coiled in the heart of being --like a worm" (*Being and Nothingness* 56). The "verme" in the "conchiglia" (which is Alfredo's head) may once again come to life.

Which brings us to the question of Alfredo's bad faith. In truth, he *decides* to readopt the passive persona of echoing automaton after his release from prison. From a Sartrean point of view, how could such a transformation be accomplished otherwise? Furthermore, Alfredo's overall attitude towards his behavior --the attributing of his performance of waiterly duties to some kind of machine-like nature and his repeated assertions that his sudden "thoughtful" conduct, which threatens to undercut his role as waiter, is somehow beyond his control --is suspect. Returning to Sartre's *garçon de café* (whose shoes the narrative "I" now envisions himself filling), we read:

In vain do I fulfill the functions of a café waiter. I can be

> he only in the neutralized mode, as the actor is Hamlet, by
> mechanically making the *typical gestures* of my state and
> by aiming at myself as an imaginary café waiter through
> those gestures ... What I attempt to realize is a being-in-
> itself of the café waiter, as if it were not just in my power
> to confer their value and their urgency upon my duties and
> the rights of my position, as if it were not my free choice
> to get up each morning at five o'clock or to remain in bed,
> even though it meant getting fired. As if from the very
> fact that I sustain this role in existence I did not transcend
> it on every side, as if I did not constitute myself as one
> *beyond* my condition (*Being and Nothingness* 103).

Thus, Alfredo's initial assertion that "per un anno filato non pensai mai nulla" indicates not so much an inability to think or an absence of thinking, but instead a *denial* that he thinks. As if it were not his free choice to passively echo the orders and rude comments of his customers or to angrily call them "beccamorto," Alfredo convinces himself that he actually is a dead-headed automaton (provided, of course, that we accept his narrative as sincere). He is denying his transcendence of the role he plays and conferring on his profession the existential status of the in-itself, which overcomes him as ice overcomes the liquidity of water. Later, as he begins to lose his grip on this bad faith notion of what he is, the threat of having to acknowledge his free transcendence of his situation is repulsed by a further denial that this transcenden- ce is at all within his control (i.e., chosen). Alfredo replaces one bad faith attitude with another: at first, he treats his free choice as if it were a contingent fact; later, he treats his inability to preserve this first attitude as another contingent fact. The symptomology of the second stage of this neurotic sequence is highlighted by the narrator's signal use of the phrase "non potei fare a meno di" four times during his relating of this period of "thinking."   This repetition suggests the phrase's function as a neurotic tic, which seeks to mask the truth of the narrator's existential condition with a thinly (but effectively for him) veiled bad faith falsehood.

After this somewhat lengthy examination of "Il Pensatore," our perusal of the second waiter story in Moravia's collection will be far less expansive. This is necessarily so, given the point of view of this study, for, as far as the existential analysis of the attitudes of the two waiters is concerned, "Il Pensatore" and "Le Sue giornate" are in many ways the *same story*. Gigi, the first person narrator and protagonist of the latter tale, could easily be an older, more advanced version of Alfredo, a waiter who has resurrected from his state of "morto di sonno" and for whom the "ghiaccio di lago" has permanently melted. His conduct, however, remains nonetheless marked by bad faith.

Gigi is a *cameriere* at an unidentified Roman café. He begins his tale, true to Moravia's short fiction formula, with a brief presentation of himself and the particular crisis that will provide the intrigue for the narrative which follows. In question here is the protagonist's reaction to the hot and oppressive Mediterranean wind, the *scirocco*: "Ai romani, dicono che lo scirocco non fa nulla: ci sono nati. Ma io sono romano ... eppure lo scirocco mi mette fuori di me."[6] As in the earlier story, the reader is presented with an opposition of inside/outside ("mi mette fuori di me") and a being which is in delicate balance between the two. In "Il Pensatore," the narrator describes himself as a "cameriere dentro come di fuori," whose ontological status both inside and outside will be put into question, his perception of his role shifting and cracking like the frozen lake that begins to thaw in the heat of the spring sun and "sotto il vento" (Pensatore 63). In "Le Sue giornate," it is again heat and wind that, according to the narrator, lead to a destabilization of his persona as he perceives it, a turning inside out of his being. Gigi continues:

> La mamma che lo sa, quando la mattina vede il cielo bianco e sente l'aria che appiccica e poi mi guarda e nota che ho l'occhio torbido e la parola breve, sempre si raccomanda, mentre mi vesto per andare al lavoro, "Sta' calmo... non ti arrabbiare... controllati." La mamma, poveretta, si raccomanda a quel modo perchè sa che in quei giorni, c'è il caso che io finisca in prigione o all'o-spedale. Lei le chiama "le mie giornate." Dice alle vicine: "Gigi, stamani è andato via che aveva una faccia da far paura... ah già, ci ha le sue giornate" (Sue giornate 302).

Already the reader can foresee events similar to those which occur in "Il Pensatore," and once again these forthcoming incidents will be provoked by the effect of some outside circumstance on the narrator's "character." In this case, it is the weather that will drive Gigi beyond the limits of the role he plays for others, that will put him "outside himself," as if he did not choose to constitute his being-for-others in this way. Furthermore, he reveals this change in comportment through his look and his speech, his "occhio torbido e la parola breve": a change of attitude that is written all over his *face*, "una faccia da far paura" — hardly a "faccia che piace[rà] ai clienti."

Unlike Alfredo, who suddenly undergoes a mysterious transformation that seems to be both beyond his control and entirely unforeseen, Gigi knows exactly how he will react to the *scirocco*: "Sebbene sia piccolo, mingherlino e sfornito di muscoli, nei giorni di scirocco mi viene il prurito di attaccar briga o, come diciamo noi romani, di cercar rogna" (Sue giornate 302). As in Alfredo's case, however, this destabilizing attack on his attitude towards others manifests itself initially as a thought --a malicious thought that is often aimed at another's face:

> Giro guardando gli uomini, sopratutto i più forzuti, e *pensò*: "Ecco, a quello con un pugno *gli romperei il naso...* quell'altro, vorrei vederlo saltare a forza di calci nel sedere... e questo? un paio di schiaffoni da *gonfiargli il viso*" (Sue giornate 302; my emphasis).

It is not until the third paragraph of the story that we discover that Gigi is a waiter. Although he seems far more aware of the tenuous balance and psychological ramifications of the inter-personal logistics that his profession demands, Gigi, like Alfredo, understands the importance of playing the waiter role well, of aiming for the realization of his being as a waiter-thing, whose eyes look, but do not see:

> Per colmo di disgrazia, ho scelto il mestiere che non ci voleva: il cameriere di caffè. I camerieri, si sa, devono essere gentili, qualunque cosa avvenga. La gentilezza per loro è come il tovagliolo che tengono sul braccio, come il vassoio sul quale portano la bibita: uno strumento del me-stiere (Sue giornate 302).

Clearly, Gigi is far more sensitive to having reduced himself to an object for others and he is far more willing to admit his desire to turn the tables on his customers than is Alfredo. He also seems to imply that controlling his retaliatory impulses is within his power, although the temptation to surpass the limits of his role shows itself on his face: "Con la mia sensibilità, la minima osservazione, il minimo sgarbo mi mette in furore. E invece, mi tocca ingoiare, inchinarmi, sorridere, strisciare. Ma mi viene un tic nervoso sulla faccia che è il segnale della mia bile" (Sue giornate 303). With the arrival of the *scirocco*, however, he will restrain his retaliation no longer, but will attribute this release of his grip on himself to a deterministic cause: the wind itself.

"Basta," Gigi concludes, signalling the tale's transition from its opening description to the plot itself. Outside of the nervous tic that manifests itself on his waiter's face, Gigi manages to control himself on the job, apparently having learned, unlike the more naive Alfredo, that a failure to do so could result in his dismissal. But armed with the *scirocco* as an excuse, it is in the Roman streets that the waiter will seek to do unto others what he feels they have been doing unto him. Feeling insecure about both his role as a café waiter and the slightness of his physical stature, Gigi awaits the opportunity to attack both verbally and physically a large, impolite stranger.

What happens is as follows. On the way to the tram which will take him to the café, a "thought" of the kind that obsessed Alfredo enters the mind of Gigi: "Una frase, sopratutto, mi ronzava nelle orecchie: 'Se non la pianti, ti faccio mangiare il tuo cappello.' Dove l'avevo sentita? Mistero: forse lo scirocco me l'aveva suggerita in sogno" (Sue giornate 303). It is perhaps the wind that causes this insult to echo in the mind of this hot-head, a further reinforcement of the excuse that will allow Gigi to make some randomly chosen other eat what the waiter wants him to eat. A robust and rude fellow on the warm and sticky tram addresses Gigi with "tu" and the waiter puts his plan into action. After shouting his prepared phrase "in faccia" and calling his antagonist "b-eccamorto," just for good measure, Gigi and the other man are separated by several bystanders who, as Gigi anticipated, take the side of the smaller man against the bully. Gigi escapes unscathed, apparently pulling off against an anonymous brute in the street what Alfredo was unable to manage against his boorish customers in the restaurant.

Arriving at work, the waiter boasts of his exploits, an account embellished to suit Gigi's own manufactured self-image, and "perfino il mestiere quel mattina [mi] piaceva" (Sue giornate 304). Near closing time, however, the man from the tram and a tough-looking companion show up, by chance, in the nearly deserted café and threaten to give Gigi "una mancia" as soon as the waiter gets off. Fear overcomes the protagonist and, in an effort to escape the beating he is sure to receive at the hands of the two surly patrons, he runs off with the café's cash box, knowing that he will be arrested by two *carabinieri* whom he spies patrolling the street. In effect, this is what takes place, although Gigi's boss "che aveva riavuto i soldi, da quel brav'uomo che era, si raccomandava: 'Lasciatelo, è stato un momento di follia'." The waiter will hear nothing of this reprieve, however, for: "meglio in galera che all'ospedale" (Sue giornate 307).

Both of Moravia's waiters are in bad faith. Both regard their own transcendence, their own freely chosen acts, as contingent phenomena which are beyond their control. Both deny to some extent the responsibility for their acts, although it is clear that the waiter in the second tale is more aware of his own free contribution to the situations in which he becomes entangled. Alfredo denies that his inability to remain in his role as the "cameriere perfetto" is within his control; Gigi blames the *scirocco* for his childish attempts to be tougher and less servile than his size and profession seem to allow.

It is interesting that both waiters end up in jail. Prison presumably cures Alfredo of his thinking, at least until the next time the ice, which is his somnolent consciousness, begins to creak and melt. Gigi escapes the physically painful consequences of his ill-advised shenanigans by being locked up as well. They both pay for the reckless exercise of their freedom with incarceration, which, ironically enough, allows them to escape the very situations that their hyper-extended being-for-others helped to create. This seemingly paradoxical outcome of the two tales is not inconsistent with the Sartrean notion of bad faith, however. As Sartre points out: "A person frees himself from himself by the very act by which he makes himself an object for himself ... The goal of bad faith, as we said, is to put oneself out of reach; it is an escape" (*Being and Nothingness* 109-110). If Moravia's characters fail to escape themselves by hiding from their freedom behind a waiter's mask, a "faccia da cameriere" that suggests a being that is *nothing but* a waiter — that is, a waiter-in-itself without the existential freedom of consciousness --then perhaps the more concrete restriction of their physical freedom behind a jailhouse wall represents a last ditch attempt on their part to continue living a lie to themselves, to deny the freedom of their choices: the strategy Sartre terms bad faith.

(James D. LeBlanc)

NOTES

[1]*Existentialism from Dostoevsky to Sartre*, ed. Walter Kaufmann (New York: New American Library, 1975); Jean-Paul Sartre, *Existential Psychoanalysis*, trans. Hazel E. Barnes (New York: Philosophical Library, 1953).

[2]See, for instance, Alberto Moravia, "About My Novels," *Twentieth Century*, CLXIV (1958), 529-532.

[3]Giose Rimanelli, "Moravia and the Philosophy of Personal Existence," *Italian Quarterly*, 11, No. 41 (Summer 1967), 61.

[4]Alberto Moravia, "Il Pensatore," in *Racconti romani* (Milano: Bompiani, 1989), 63. All further references to this story appear parenthetically in the text.

[5]Jean-Paul Sartre, *Being and Nothingness*, trans. Hazel E. Barnes (New York: Pocket Books, 1966), 101-102. All further references to this work appear parenthetically in the text.

[6]Alberto Moravia, "Le Sue giornate," in *Racconti romani*, 302. All further references to this story appear parenthetically in the text.

Moravia: le contraddizioni di un'intelligenza aggressiva e impaziente

Mario Lunetta

I.

Non so se Moravia sia stato, come da più parti si è molto emotivamente affermato, il più grande scrittore italiano del Novecento. Credo che la questione sia irrilevante; magari, che non sia neppure una questione. È vero piuttosto, indubitabilmente, che Moravia è stato, nella nostra letteratura di questo secolo, l'autore che ha più di ogni altro convissuto con un successo costante e quasi naturale, acquisendo progressivamente prestigio e quindi "potere" (contrattuale, economico, di immagine): un "potere" esercitato sia nei libri che nei media che nei salotti. Tra i Sessanta e i Settanta si tentò di accreditare da noi un certo parallelismo tra la figura di Sartre e quella dell'autore della *Noia*. Si trattava evidentemente di un'incongruenza, non solo per la palese sproporzione di spessore filosofico che c'era tra l'"esistenzialismo involontario" di Moravia e l'esistenzialismo consapevole, militante e volontario di Sartre, ma soprattutto per il modo radicalmente diverso di porsi di fronte al mondo: criticamente coinvolto (*engagé*) nel francese; illuministicamente curioso, ma in fondo senza vera passione, nell'italiano.

E' invece possibile rinvenire, in due scrittori tanto notevoli e pure tanto diversi, un'altra, più vera e più segreta affinità: quella sorta di inesausta volontà di intervento "pedagogico," di azione diretta sul pubblico che li ha portati a investirsi -- nei momenti di più intensa lucidità -- del ruolo di *maîtres à penser*; in quelli più opachi, di voraci, onnipresenti "tuttologhi." Forse più di tutto questa vocazione moraviana spiega il lungo sodalizio e l'amicizia con Pasolini, un altro autore in cui l'ardore pedagogico si mescola a tutta una serie di pulsioni creaturali, fino a sfociare come in pochi altri letterati del

113

nostro Novecento in una funzione di coscienza collettiva, da giudice "politico," più apparentabile al ruolo di voce pubblica che lo scrittore ha nella tradizione francese, che non alla *beata solitudo* di matrice umanistica propria della nostra.

In Moravia, fin dagli esordi, questa vocazione si esprime in termini di grande evidenza proprio nei testi narrativi, coagulando nelle procedure fortemente didascaliche della rappresentazione. Un che di dimostrativo, quasi un ausilio offerto al lettore per l'uso corretto delle sue storie, sembra una delle preoccupazioni non secondarie di questa prosa di grande energia sistematica, seccamente tagliata in funzione di un'economia rigorosamente utilitaria, qualcosa insomma che esibisce senza rossori la sua sublime pedanteria artigianale. La pronuncia tipica dei titoli che Moravia impone ai propri libri è, tra l'altro, la spia primaria e più scoperta di questa visione inesorabilmente fenomenologico-didascalica: da *Gli indifferenti* (1929) a *L'uomo che guarda* (1986). Ed è proprio in questo senso e in questa direzione che riesce assai giusta la scheda dedicatagli da Gianfranco Contini nel 1978, a produzione moraviana ormai quasi completamente conclusa (*Schedario di scrittori italiani moderni e contemporanei*, Sansoni), ove si legge che "la generale fisionomia mentale di Moravia è quella d'un illuminista perfettamente ateo, chino sulla realtà con decrescente partecipazione sentimentale e crescente partecipazione intellettuale, inteso a 'demistificarne' i meccanismi, quando non divertito a farli saltare nell'avventura (la narrativa di molti settecentisti fu prevalentemente 'di testa'). S'intende come questo atteggiamento si riproponga in sede saggistica, si tratti di critica letteraria o d'interpretazione di paesi esotici (Moravia ha viaggiato per tutto il mondo): aguzze e spesso paradossali semplificazioni d'un'intelligenza aggressiva e impaziente."

Non lascia in questo caso indifferenti quel sostantivo-giudizio piuttosto perentorio: "semplificazioni." E difatti, è proprio lo schematismo delle situazioni, delle vicende e delle psicologie che, pur con tutta la sua ambiguità, fo la forza e la debolezza del forte narratore che è Moravia. Un narratore di razza il cui talento naturale, affabulatorio e implacabile, procede sempre unito a una sorta di *lourdeur* meccanica, di grintosa insistenza sottolineatoria, infine di prassi da verbale. Una scrittura siffatta, capace di raggiungere nel suo grigiore catastale momenti di notevole potenza e suggestione, mostra quasi sempre un fine da raggiungere, uno scopo in qualche modo prefissato, da mostrare al lettore in modi magari fuorvianti ma pur sempre legati a una segnaletica *ante rem*. Più volte, da Schiller, da Goethe e da svariati romantici, è stato ripetuto che il tempo dell'epica non è più il tempo della modernità. Questo, l'"ottocentesco" e "dostoevskiano" Moravia l'ha capito benissimo, da subito: appunto la sua scelta sicura si è immediatamente indirizzata al quotidiano, talvolta con venature plebee, da dove esplorare la crisi (totalmente acritica) della borghesia, sua classe di appartenenza; e da dove far lavorare il suo senso del moderno. Piena di angolosità e di spigoli, scorbutica e mai corriva, la scrittura moraviana si è sempre tenuta stretta a certezze acquisite: "contenutista" all'epoca in cui imperversavano i "calligrafi," orizzontale a dispetto di tutti gli sperimentalismi che hanno agitato e non di rado sconvolto la letteratura del secolo di sguincio e in profondità, il narratore romano ha esercitato il suo occhio freddo e la sua energia di analisi inequivocabilmente "contemporanei" negando le procedure naturalistiche variamente truccate che -- sia al tempo della sua giovinezza che al tempo della sua maturità -- hanno aduggiato la resa, appunto *moderna*, della nostra narrativa. Moravia, per dirla con Giacomo Debenedetti, pur mantenendo un costante rispetto per la sintassi e per il lessico tradizionali, risulta uno scrittore antitradizionale perché adotta, contro il romanzo naturalistico, che era il romanzo della necessità, il romanzo che riposa sull'idea dell'onda di probabilità. Quello moraviano, quindi, è il "romanzo della probabilità": e in quanto tale, è un romanzo profondamente inserito nella grande corrente del moderno.

Di qui a mettere in discussione il preteso realismo dell'autore della *Romana* (1947) o il preteso neorealismo dell'autore della *Ciociara* (1957) il passo è breve. Come a suo tempo dimostrò benissimo Sanguineti, il "realismo" moraviano è minato al proprio interno da una serie di cariche irrealistiche, visionarie, oniriche, talora proiettate in una furiosa astrazione mentale o schiacciate su uno schermo violentemente iperrealistico: ed è proprio tutto ciò che gli consente assai spesso di misurare con spregiudicata acutezza, nei suoi testi narrativi come negli scritti saggistici o nei veloci interventi giornalistici e polemici, la temperatura e le fibrillazioni sia delle coscienze individuali dei suoi personaggi che quelle dell'intera società italiana, dall'osservazione della quale egli ha tratto -- crediamo giustamente -- più occasioni di disgusto e di sprezzante malessere che di comunanza e di identificazione. Moravia, insomma, è morto "moralista" come nacque alla letteratura, e come subito fu definito

con un'etichetta datatissima. E, anche se questo suo "moralismo" che
non di rado ha saputo essere autentica, dura e nervosa moralità, si è
un po' appannato nell'ultima fase della sua vita intensa e operosa, è
certo che -- nei suoi pregi e nei suoi limiti -- la sua figura e la sua
presenza lasciano un vuoto grande nella nostra civiltà non solo
letteraria.

          In una bella memoria raccolta in *Rami secchi* (Rizzoli, 1989),
che rievoca la sua amicizia con Moravia iniziata negli anni dell'adole-
scenza e durata tutta la vita ("Avevo conosciuto Moravia sulla
spiaggia di Viareggio, un agosto o un settembre, del 1919 o del 1920,
quando lui non si chiamava ancora Moravia, e io sapevo soltanto che
il suo nome era Alberto, e lo chiamavo Alberto senza preoccuparmi
di conoscere il cognome. Eravamo ragazzini: lui dodici anni, io
tredici; oppure lui tredici e quattordici io. Ma come avrei mai potuto,
in quel tipo magro, pallido, serio, diffidente, di poche parole,
prevedere un futuro scrittore?"), Mario Soldati dice affettuosamente:
"Moravia, ho continuato sempre a ammirarlo e a amarlo per un suo
profondo, fanciullesco candore. Si può dire che la sua iniziale
precocità duri, lo ispiri anche oggi." In pochi tratti, il "cattolico"
autore di *A cena col commendatore* ha disegnato del laico autore de
Gli indifferenti un ritratto schizzato con ammirevole vivezza:
un'"istantanea," credo, tra le più giuste per accomiatarsi da un uomo
e aiutarci a tornare a riflettere su un'opera che ha segnato tanti anni
di letteratura e di vicende non solo italiane.

II.

          È quasi un luogo comune affermare che la vena più autentica
dello scrittore romano si esaurisce all'altezza de *La noia* (1960). Io
sarei piuttosto propenso a ritenere che le prove narrative che seguono
quel fortunato romanzo - sicuramente tutt'altro che povere sul piano
dell'impegno dell'autore - risultano insufficienti proprio rispetto a quel
principio di *credibilità* che è sempre stato al centro del singolare
realismo metafisico moraviano.   Si ha l'impressione, insomma, a
partire appunto dagli esiti di quel libro, che Moravia replichi certi suoi
gesti e procedure consolidati nei confronti di un mondo che gli sfugge
disperatamente di mano, sempre più complicato e magari meno
complesso, sempre più votato a una cieca e autodistruttiva anonimia
collettiva.

L'alienazione e lo straniamento, tipici modi rappresentativi del narratore, paiono così incapaci di entrare in sintonia critico-visionaria col reale prima di tutto per una questione di linguaggio. La scrittura analitica di Moravia si marmorizza sempre più, come per una sorta di difesa di fronte al flusso violento di un universo socio-antropologico in aggressivo disfacimento. Si tratta di una difesa assai debole, e la sconfitta dello scrittore si consuma in termini di grottesco involontario, di goffaggine faticosamente elaborata tra il serioso e il mimetico ingenuo. Senza considerare tutti i vari (e mediocri) romanzi della fase estrema della produttività moraviana, mi pare utile soffermarmi su due di essi, particolarmente rappresentativi, l'uno di quel *romanzesco ideologico* continuamente affiorante nel narratore, ma forse mai come in questo caso sottoposto a complicazioni perfino irritanti; l'altro, all'opposto, tipico della sua *maniera elementarizzante*, per riprendere la formula di Contini. Sto parlando de *La vita interiore* e di *La donna leopardo*.

In un capitolo di *Aspetti del romanzo* E.M. Forster parla del "canto echeggiante nelle aule della narrativa," chiedendosi con finto candore: "Come potranno andare d'accordo il *canto* con l'ammobiliamento del senso comune?" Questa considerazione spiritosamente interrogativa mi pare si attagli agevolmente a un libro macchinoso e ipergremito come *La vita interiore*, nelle cui "aule" piuttosto pesantemente ammobiliate sembra di sentire echeggiare assai di rado quel "dono in più" di cui parla Forster, cioè quel *quid* che alcuni definiscono Stato di Grazia e altri, più laicamente, Ineluttabilità del Testo.

In realtà, l'appartamento metaforico che ci propone lo scrittore romano è sovraccarico e fitto di mobilia fino alla costipazione, al limite della paralisi. Si sa, Moravia è sempre stato un narratore molto legato al *plot*, ha sempre lavorato per accumulo piuttosto che per sottrazione: eppure altre volte la sua forza è consistita proprio di questo, di questa sorta di brutale indigestione di fatti, di cose, di corpi, perfino di *coups de théâtre* resi con la sua caratteristica scrittura fredda, meccanica, quasi catastale, capace di produrre effetti anche straordinari di specie fortemente antinaturalistica (malgrado tutte le approssimative attribuzioni di "realismo critico"), e anzi -- vale la pena ripeterlo -- metafisico, direi medianico: proprio in virtù di quell'iperrealismo esagerato e senza mediazioni, sovente di una coerenza agghiacciante, tutto espresso su una dura concatenazione di epifanie implosive.

Di quelle antiche felicità *La vita interiore* conserva gli atteggiamenti, le movenze e soprattutto le cattive abitudini. Stando alle dichiarazioni dell'autore, si sarebbe dovuto trattare del suo ultimo romanzo, una sorta di rutilante e feroce canto del cigno. Purtroppo non è stato cosi. Secondo la stessa autorevolissima fonte, il libro è costato a Moravia sette anni di lavoro e innumerevoli stesure. Esattamente quanti ne impiegò Flaubert per la *Bovary*, viene da considerare. Nessuna tentazione di ingenerosi raffronti, per carità. Solo che, in fondo, la storia aggrovigliatissima che ci racconta Moravia è quella di un caso di bovarismo contemporaneo applicato, anziché all'eros, alla politica, o meglio a quel cattivo *Aktionismus* di cui un decennio prima aveva parlato Adorno...

Vi si narrano infatti le vicende della ragazza Desideria, impegnata ad attuare un piano di trasgressione e dissacrazione della morale e del comportamento correnti nella ricca borghesia; anzi, per la precisione, si finge che il romanzo altro non sia che la registrazione fedele di "un'intervista che il personaggio indicato con il nome di 'Desideria' ha concesso all'autore indicato con il pronome 'Io' durante i sette anni che è durata la stesura del libro." Moravia aggiunge che "come tutti i personaggi, Desideria non è raccontata dal romanziere bensì gli racconta se stessa." Certo è che il modo di raccontare di questa Desideria, che da grassa, anzi obesa dodicenne, si trasforma in una stupenda adolescente man mano che matura la sua coscienza civile, o più precisamente la carica di ribellismo anarcoide e oscuramente corporale che lei crede sia la sua coscienza civile e politica rivoluzionaria, è un modo tutto sommato enfatico: segnato di quella particolare enfasi che è propria di ogni linguaggio dimostrativo e didattico, anche se lontanissimo (come nel caso di questo libro, e di tutto Moravia) da atteggiamenti declamatori o genericamente retorici.

Desideria è figlia adottiva della ricchissima italo-americana Viola. La sua vera madre è una donna del popolo che si è disfatta di lei affidandola per denaro a Viola, e che Desideria non conoscerà mai. Quindi Desideria, comprendendo che la sua mostruosa grassezza frustra i progetti mondani e affittivi della madre adottiva, e sentendosi da lei rifiutata, diventa "oltre che ghiottona anche ubriacona" e non fa che masturbarsi furiosamente. Viola, che è un'insaziabile maniaca bisessuale soprattutto per mancanza di un vero equilibrio familiare, si paga mantenuti perlopiù volgari, coi quali intrattiene rapporti violentemente sadomaso. La sua vera "patria," come dice Desideria, è la ricchezza. La bambina la sorprende una volta durante un'orgia, e Viola, per rivalsa, le confessa di non essere la sua vera madre e le rinfaccia brutalmente la sua obesità, fino a dirle che, grassa com'è, non sarebbe neppure in grado di esercitare il mestiere della madre, cioè la prostituta.

Per Desideria è uno choc. In lei nasce l'odio per Viola e contemporaneamente il desiderio di smentire nei fatti l'orribile apprezzamento sulla sua assoluta mancanza di femminilità. Comincia progressivamente a imbellire e a detestare la madre adottiva la quale, man mano che la ragazza acquista fascino, assume atteggiamenti sempre più marcati di ambiguità sessuale nei suoi confronti, coltivando morbosamente la possibilità di un incesto lesbico. Infine se ne innamora perdutamente, pur continuando a pieno ritmo le sue pratiche erotiche bisessuali durature o occasionali con l'antiquario Tiberi, il suo ganzo-amministratore fascista, col giovane prostituto Erostrato, con le sue governanti, con questa o quella squillo. Un'attività davvero da capogiro, nella quale per tutta la durata della vicenda tenterà di coinvolgere Desideria, ma senza successo. Perché all'improvviso, durante una sua masturbazione, la ragazza viene apostrofata da quella che lei stessa definisce la Voce. Due cose, ella afferma, ha avuto "in comune con Giovanna D'Arco: la Voce e la verginità. Per alcuni anni una Voce mi ha parlato, mi ha guidato, mi ha comandato." Si tratta della voce della Rivoluzione, che le impone di realizzare il suddetto piano di trasgressione dei valori borghesi: la famiglia, la cultura, la religione, il denaro ecc. Da quel momento in poi, Desideria viene a trovarsi quasi costantemente in suo completo potere, agisce da mera esecutrice di ordini, in uno stato pressoché irresponsabile, quasi ipnotico eppure caratterizzato da un'estrema lucidità. Inizia la sua educazione, insomma, e il romanzo si dipana d'ora in poi, appunto, come un *Bildungsroman* al tempo stesso meticoloso e schematico: meticoloso, intendo, nei suoi meccanismi mimetici e nelle sue (eccessive) preoccupazioni di verosimiglianza; schematico nei suoi processi interni, dalla cui credibilità poi nasce esclusivamente la stesa verosimiglianza poetica, e che qui sono notevolmente esteriorizzati, ben più detti che espressi, come costretti dall'autore a un *tour de force* complicato e un po' vano.

Tra l'altro, sorprende la goffaggine e la facilità di certe soluzioni cui Moravia attribuisce una responsabilità simbolica rilevante. Non si può, davvero non si può avere la pensata involon-

tariamente umoristica di rendere la povera Desideria di turno protagonista di un "rito scatologico" di ribellione, consistente nella pretesa
di far defecare il suo fidanzatino piccolo borghese sul letto materno,
poi in quella di "cancellare" emblematicamente la cultura borghese
pulendosi il sedere con una pagina dei *Promessi Sposi*, infine in
quella, addirittura goliardica, di farla orinare in chiesa durante la
messa e farle fare, ohimè umana perfidia!, il segno della croce
intingendo il dito nel proprio liquido... Se si vuol fare del *Sade*, com'è
noto, occorre un'assoluta spregiudicatezza: esattamente quella che
tutto sommato manca in buona misura a Moravia, il quale, se si
scatena a infarcire di parole assegnate da Desideria al "linguaggio
postribolare" il proprio libro, continua poi, contraddittoriamente, a
lasciar convivere, ad esempio, termini seccamente immediati come
"fregna," "cazzone," "pompino" ecc. con stilemi meschinamente
moralistici del tipo "fiamma impura e divorante del desiderio." Eccoci
al dunque: è proprio in questo irrisolto conflitto linguistico, in questa
incertezza di stile cioè di punto di vista sulla sua affastellata materia,
la debolezza del romanzo, la spia della sua macchinosità, del suo
inutile esibizionismo. L'erotismo moraviano dei bei tempi (degli
Indifferenti, di *Agostino*, della *Romana*, della *Noia*, di alcuni folgoran-
ti, tremendi racconti) era tutto di testa, e dalla sua feroce sobrietà
traeva la propria innegabile, torbida potenza. Nella *Vita interiore* non
si fa altro che dell'atletismo chiavereccio, e l'effetto è irrimediabil-
mente stantio, non di rado patetico. Questi *tableaux vivants* realizzati
da fantocci sessualmente iperattrezzati non evocano neppure il
desiderio di morte cui costantemente si allude nei loro confronti: sono
troppo teatrali, non si divertono neppure a fare le porcherie. Forse
sono un po' cripticamente cattolici o, nel caso di Viola, un po' troppo
puritani: io credo che manderebbero in bestia un "cattivo" convinto e
integrale come il Divin Marchese, dei cui personaggi sembrano le
copie maldestre.

Comunque, la vita continua: e cosi *La vita interiore*.
Continua come può continuare, certo: con Desideria che, sempre più
invaghita della Rivoluzione, tenta prima di ammazzare la corrottissima
(e infelice) madre adottiva; poi si prova a organizzarne il sequestro,
una volta venuta in contatto (ovviamente anche carnale) con
l'esponente di un gruppo terroristico, che si rivela, gratta gratta, un
borghesuccio inquinato di maschilismo. Convinto che Desideria sia
soltanto una puledra isterica, una matta buona solo per il letto, la
svergina e le nega ogni credito di serietà "rivoluzionaria." Lei, che lo

ha sempre odiato ("mi ripugnava, perché, appunto, sapevo di certo che era un assassino"), obbedisce all'ordine della Voce la quale, sempre più sanguinaria, le ha imposto di ucciderlo.   Ma poco prima Desideria aveva sparato al Tiberi, che a suo tempo l'aveva sodomizzata, durante un appuntamento per ottenere da lui un rapporto della polizia su Quinto, ultimo mantenuto di sua madre Viola, e ambiguamente legato al gruppo terroristico. Insomma, un labirinto senza speranza. "La tua immaginazione" dice all fine Desideria all'autore pronominato "Io," "mi ha bruciata, consumata. All fine non esisterò più, se non nella tua scrittura, come impronta, come personaggio." Il fatto è che si può essere impronte letterarie lievissime eppure terribilmente persistenti, e impronte calcatissime e labili. Temo proprio che questo secondo sia il caso di un metapersonaggio come Desideria, che non riesce a liberarsi dalle pastoie del suo linguaggio improbabile. Qui, mi pare, è la radice della sua nevrosi improduttiva, la sua condanna al carcere di un libro di oltre quattrocento pagine nel quale troppo di rado si riesce a respirare.   Che non sia anche, come voleva Forster, una questione di ritmo?   "Mal realizzato, il ritmo è noiosissimo: si anchilosa in simbolo, e invece di portarci innanzi ci fa inciampare."

III.

Dopo un *kitsch* disastroso come *La vita interiore* (1978), in cui - come mi sono sforzato di dimostrare - si provava malamente a coniugare la duplice sindrome da terrorismo e da misticismo per franare nel romanzesco più trucido, e che più di un untuoso servitorello si impegnò a spacciare *tout court* per "capolavoro," Moravia pubblicò, infaticabilmente, un altro stock di libri di narrativa, il più intrigante (ma pure irrisolto) dei quali resta *1934* dell'82, in cui peraltro lo sfruttatissimo gioco del doppio finisce per assumere irrimediabili tratti da "tema svolto," magari in grande stile: che vuol dire, anche, stile grandemente faticato e faticoso.   È poi iniziata la prevedibile vicenda delle opere postume; e così, ecco un romanzo come *La donna leopardo* (1991), che continua a consegnarci un Moravia pervicacemente didascalico, in cui la secchezza della prosa non coincide con una scarnificazione capace di caricarsi di implacabile essenzialità, ma dipana il proprio discorso "a tesi" (l'inconoscibilità e inafferrabilità di un certo tipo di donna assimilata a un felino, prova esemplare dell'inafferrabilità e inconoscibilità della vita) nei modi elementari di una prova più vicina all precarietà di un *treatment* cinematografico che alla complessità interna di un testo narrativo autonomamente risolto.

Sulla scacchiera (in questo caso esotica: l'Africa, il Gabon, Libreville, Mayumba) operano due coppie disposte, si direbbe, a chiasmo: Colli, faccendiere di successo, disperatamente amato dalla moglie Ada da lui non riamata; Lorenzo, giornalista che lavora per un quotidiano di cui Colli è proprietario, disperatamente innamorato della moglie Nora, la quale sembra non ricambiarlo. Durante un viaggio africano non privo di fastidi, scatta (*of course*, suggerirebbe qualsiasi lettore appena smaliziato) una forte attrazione tra i due amati che non corrispondono ai legittimi innamorati. Gelosia, frustrazione impotente, penoso tentativo di risarcirsi vendicativamente sui presunti fedifraghi prima da parte di Lorenzo, poi di Ada. Ma il fatto è che -- come in una sorta di sinopia "gialla" la quale, più che risultare una premessa all'intervento risolutivo dell'immagine, resti allo stato di schema -- non succede niente. La fantasia di Lorenzo e di Ada lavora tormentosamente su ombre di indizi, larve di ipotesi, dettagli ambigui. Mancano le prove di un adulterio continuamente annunciato e continuamente dilazionato, che si consuma, forse, soprattutto nella nevrosi dei due *malaimés*. Tra questi quattro pezzi disposti simmetricamente sulla scacchiera manca il re: tra alfieri e pedoni c'è solo la regina, che è l'imprendibile, enigmatica e vacua Nora. La "donna leopardo," appunto, dalle iridi cariche di "quell'azzurro risplendente ma come privo di sguardo che era uno dei tratti più originali della sua bellezza." Donna spettrale *à la manière* postmoderna, e *femme fatale* dotata di sottilissimo spessore "cinematografico," da *movie* esotico-erotico di consumo sofisticato, Nora è impermeabile alle emozioni e alimenta la sua naturale ferocia a la sua *indifferenza* ormai senza più oggetto né ragioni da una fredda, insondabile distanza. La morte accidentale di Colli, che annega in una laguna probabilmente con il non disinteressato intervento della moglie, scioglie violentemente i nodi di tutta una serie di ambiguità e di reticenze, e porta Nora a una sorta di elogio funebre del presunto amante, quando parla al furibondo marito dell'infelicità del defunto, della sua umanità problematica e tutt'altro che volgare, sigillando la curiosità dolorosa di Lorenzo che gli chiede "Parla, bestia, perché era infelice?", con un epigrafico: "Non te lo dirò mai. Era qualche cosa che non ti riguarda, che riguardava soltanto lui e me."

In postfazione, Enzo Siciliano parla di ispirazione metafisica, e chiama in causa il grande Conrad di *Cuore di tenebra*. Perché mai?

Cosa ha in comune un romanzo modesto e scaltro come *La donna leopardo*, compilato in una scrittura sovente imbarazzata che non fa certo onore al miglior artigianato moraviano, con un capolavoro della *darkness* funerea tra in più profondi e misteriosi del moderno? Proprio nulla. Neanche l'Africa.

(Mario Lunetta)

Moravia/Manganelli e la querelle tra leggibilità e illeggibilità

Grazia Menechella

Negli anni sessanta, dalla nascita del Gruppo 63 al suo declino, la disputa tra leggibilità e illeggibilità, tradizione e sperimentalismo, a in Italia molto vivace. Si vuole qui trattare della posizione di Moravia all'interno del dibattito, del suo rapporto-conflitto con il Gruppo 63 e specificamente della questione leggibilità/illeggibilità di un testo --questione dibattuta da Moravia e Manganelli a mo' di botta e risposta. Ci soffermeremo su un breve e caldo periodo, 1965-'68, e rintracceremo alcuni momenti significativi del rapporto Moravia-Gruppo 63 e Moravia-Manganelli.'

Al primo incontro del Gruppo 63, nel '63, Moravia non era tra i membri del Gruppo eppure figurava tra i partecipanti in quanto presente a Palermo per la settimana musicale e intervenne al dibattito pubblico sulla poesia (rispondendo a Sanguineti) e sulla narrativa (rispondendo a Barilli). Il Gruppo 63, assolutamente non omogeneo dalla sua fondazione, cresce sul confronto testuale e teorico sia nei vari incontri del Gruppo che sulle riviste -- *Quindici, Marcatrè, Grammatica, Malebolge*. Cosi lo ricorda Eco in una riflessione a-posteriori:

> Non era una massoneria in cui, con buone raccomandazioni, ci si potesse iscrivere, sia pure in segreto (e a rischio di non essere accettati dalla maggioranza dei soci). Era piuttosto come una festa di paese, di cui fa parte chi è presente e partecipa dello spirito generale e del genius loci ... i partecipanti si presentavano a vicenda i propri lavori e si criticavano l'un l'altro senza vergogna e senza complicità (Eco 94).

Diverse e spesso contrastanti erano le vedute dei vari rappresentanti del Gruppo; non si vuole qui indagare tali differenze bensì indicare che un qualsiasi singolo membro del Gruppo non è di esso rappresentante. Si metteranno qui fondamentalmente a confronto Moravia e Manganelli ma si tenga presente che Manganelli è solo una delle voci del Gruppo e anche una delle voci più eccentriche. C'è, però, un filo che collega le posizioni più disparate all'interno del Gruppo ed è la volontà o meglio la necessità di opporsi al romanzo borghese. Manganelli nutre la più profonda repulsione per il romanzo che abbia qualcosa da dire, che sia indagazione psicologica o riflessione cruda sulla vita e Manganelli nutre una sincera antipatia per Moravia, antipatia da questi ricambiata. Moravia è un facile bersaglio per la neoavanguardia; egli è il romanziere della crisi della borghesia sia nella prima fase di fiducia nel popolo che nella seconda di ripensamento e riconoscimento della corruzione del popolo e degli intellettuali (Luperini 525). Moravia non esce dal cerchio: egli resta inscritto nel discorso/processo borghese --anche se della borghesia descrive la crisi. La neoavanguardia vuole, invece, operare dai margini, se non dal di fuori e minare alle strutture del romanzo tradizionale. All'incontro del Gruppo 63 a Palermo nel '65, Barilli nell'intervento d'apertura analizza il *nouveau roman* di Robbe-Grillet e fa poi riferimento a Moravia che avrebbe, secondo lui, affrontato le nuove problematiche nell'*Attenzione*:

> ...si potrà lamentare l'andamento frettoloso e un po' sciatto di certi passaggi, l'esibizione culturalistica di altri; ma resta a suo merito il non avere eluso il tema delicatissimo del rapporto tra il quotidiano e il romanzesco, tra il normale e l'eccezionale, l'autentico e l'inautentico. Il protagonista dell'*Attenzione*, e l'autore dietro di lui, hanno raggiunto la piena consapevolezza che in principio sta il non accadere nulla, la vita "fatta di niente" del livello quotidiano. Come avviene allora che da quel tessuto grigio e banale emergano all'improvviso dei "fatti" vistosi, come ad esempio quello di una madre che prostituisce la figlia minorenne?...Il romanzesco, l'avventuroso di Moravia, come sempre in questo autore, non è particolarmente sofisticato, si presenta anzi in un modo solido e corpulento, in tutto simile cioè al romanzesco del "buon tempo antico" (Balestrini 20-21).

Dunque, secondo Barilli, sebbene nella tradizione, Moravia ha introdotto degli elementi nuovi in direzione sperimentale che depongono in suo favore. Ben diversa l'opinione di Angelo Guglielmi secondo cui lo scrittore sperimentale non può/deve cadere nella trappola positivista-naturalistica di descrivere "il caos, il disordine, la situazione di non valore di fronte a cui si trova" (Balestrini 28); Moravia diventa così l'antimodello:

> Un esempio di questo tipo di descrizione, dell'insensatezza di questa impostazione stilistica, della falsità degli esiti cui può pervenire, sono le ultime opere di Moravia dalla *Noia* a *L'attenzione*. L'*approach* descrittivo, qual è quello attuato da Moravia, a un *approach* di tipo razionalistico, cioè è tale da spingerlo proprio incontro a quello che vuole evitare: quando Moravia descrive una situazione di non valore lo fa e non può non farlo che facendo riferimento implicitamente a una situazione di valore o meglio a una situazione che si pone come valore all'interno di quello stesso assetto culturale in cui ogni situazione di valore a divenuta una situazione di non valore. È un po' come se io tentassi di superare l'impossibilità di scrivere con l'inchiostro cercando l'inchiostro per scrivere. ... Il problema non è assolutamente quello di sostituire alcuni valori con altri... Il problema invece a quello di provocare l'emersione delle possibilità profonde, delle cariche interne delle cose: possibilità che non si configurano nei termini di valore...ma si articolano in una varietà di stimoli e d'impulsi non coordinati dalla legge della coerenza e della univocità ma liberamente assortiti nel segno della polivalenza, dell'ambiguità e della contraddizione (Balestrini 28-29).

Moravia resta dunque uno scrittore borghese anche quando introduce elementi sperimentali. Anche Curi, all'interno dello stesso dibattito, criticherà la posizione di Barilli;

> Il romanzo sperimentale è il romanzo contestativo. Contestativo di che cosa? Del romanzo borghese tradizionale, del romanzo "ben fatto" nelle sue diverse forme. Ma sarà bene aggiungere che il romanzo contestativo è un romanzo sempre contestativo, a il romanzo che si propone...di "non smettere" di contestare. Se il romanzo sperimentale è tale, mi chiedo come Barilli abbia potuto inscrivere nella sua area *L'attenzione* di Moravia, che non a affatto un romanzo contestativo, ma il risultato di un'operazione di aggiornamento. Angelo Guglielmi ha perfettamente ragione quando nella sua relazione

parla di razionalismo. Si tratta infatti di razionalismo, ma di un razionalismo borghese tradizionale, che tende a istituire la contestazione del mondo borghese appellandosi implicitamente a referenti borghesi, propri, cioè, di quel mondo che lo scrittore ai propone di mostrare completamente devitalizzato (Balestrini 69).

Queste alcune reazioni del Gruppo 63, nel '65, a *L'attenzione*. Nel '66 esce di Moravia un volume di teatro --*Il mondo è quello che è*-- e nel '67 una raccolta di racconti --*Una cosa è una cosa*-- ed entrambi sono recensiti da Angelo Guglielmi in prima pagina sul primo numero di *Quindici* --la rivista del Gruppo 63. Si tratta ovviamente di una stroncatura; d'obbligo la lunga citazione:

Mi dispiace di dover far fare le spese di tutte le mie ire, di tutte le mie indignazioni sempre alla stessa persona: ma non a colpa mia se lui a l'unico antagonista valido, cioè l'unico con cui valga la pena di riscaldarsi e per il prestigio di cui gode (e quindi per la sua pericolosità) e per la forza, per l'accanimento con cui sta vivendo il suo fallimento. Stiamo parlando di Moravia... Di fronte a questi due libri sono stato preso da una grande insofferenza. La stessa che provo davanti al governo di centro-sinistra. L'insofferenza viene dal fatto che la coalizione ... a la confluenza di due elementi che non possono coesistere... L'avanguardia per Moravia, come la sinistra per l'attuale governo, è solo un problema di aggiornamento che ha quale scopo per un verso la creazione di condizioni che permettano di mantenere il monopolio del potere e per l'altro la neutralizzazione, previo conglobamento, di tutte le opposizioni e forze centrifughe. Nelle ultime opere di Moravia i motivi dell'avanguardia vengono volgarizzati e avviati a costruire un prodotto medio che ... non scomoda in nulla le vecchie abitudini del pigro lettore. *Il mondo è quello che è* nasce da una presunta meditazione dei testi di Marx e di Wittgenstein (dico presunta giacché Moravia non sa leggere con libertà e forse a causa del tono pratico della sua mente tende a ridurre tutto ciò che legge ad una misura per cosi dire bignamesca, di comunicazione diretta). Secondo questa meditazione affatto *sui generis*, ipotizzata la necessità di dover cambiare il mondo, il problema sarebbe se bisogna cambiarlo cambiando le cose oppure cambiando le parole. Intanto, non so che senso possa avere il proposito di cambiare il mondo. ... Nel volume *Una cosa è una cosa* sono compresi una serie di racconti tutti destinati a celebrare una cosa che non è. Cosi nell' "Albero di Giuda" si raccontano le gesta-non-gesta di un giovane la cui attività consiste nel non fare niente. Evidentemente il racconto nasce da una valutazione del mondo di oggi... (Guglielmi, "L'avanguardia adulterata"[1]).

È guerra aperta. A Moravia si rimprovera di aprirsi allo sperimentalismo senza in sostanza cambiare nulla, di cercare compromessi che non appartengono all'avanguardia, di rubare qualche novità per necessita di aggiornamento --sia Curi che Guglielmi usano per Moravia il termine "aggiornamento." L'apertura allo sperimentalismo resta tale: senza sviluppi, senza trasgressioni. A proposito dell'*Attenzione*, Luperini scrive:

La crisi del romanzo è la crisi stessa della vita borghese che è "tutta" la vita. Ancora una volta, ritorna del romanzo come forma della vita stessa. La negazione dell'azione e della vita a la negazione del romanzo. Anche scrivere ... non ha dunque significato, e *L'attenzione* piuttosto che un romanzo, è un diario d'appunti per scrivere un romanzo "nuovo," il romanzo della quotidianità senza azione e senza vita, della pura contemplazione: insomma mira a essere, in sintonia con la ricerca delle neoavanguardie, un metaromanzo (Luperini 528).

Moravia "mira ad essere in sintonia" con l'avanguardia ma c'è con essa una distanza incolmabile. Nel '66 Moravia pubblica su *Nuovi argomenti* "Il romanzo del romanzo: appunti per *L'attenzione*" in cui definisce il "romanzo del romanzo": la rappresentazione è l'impossibilità della rappresentazione, il romanziere è un personaggio "comune," il focus passa dall'oggettivo al soggettivo cioè allo scrittore. Tale romanzo è, per Moravia, terapeutico e veritiero:

L'operazione terapeutica che si chiama romanzo del romanzo porterebbe ad una divisione del soggetto dall'oggetto, ad un ripristino della rappresentazione oggettiva e distaccata. ... Ora il romanziere è prima di tutto un bugiardo; e il romanzo del romanzo serve appunto a dirci la verità che si nasconde dietro le bugie. ... Al romanzo del romanzo bisogna attribuire anche un'altra virtù: quella di trasformare la letteratura in condotta, in azione; di strapparla ai libri e introdurla nella vita; di farne qualche cosa di drammatico e di esistenziale ... è probabilmente il solo romanzo che possa, con qualche legittimità, aspirare al titolo di romanzo marxista ("Il romanzo del romanzo" 11-12).

"Il romanzo del romanzo" di Moravia riscatta il romanzo tradizionale dalla menzogna in cui vive e diventa il romanzo della verità e il romanziere ha qui il compito di smascherare la menzogna. Per Manganelli è vero esattamente il contrario e cioè che il romanziere ha dimenticato che la letteratura è menzogna (il "romanzo sul romanzo" manganelliano è sempre riflessione sull'artificiosità romanzesca):

> Dimentico che non v'è discorso letterario se non come macchinazione, il romanziere si è via via persuaso che quel che egli faceva aveva qualcosa a che fare col mondo in cui viveva; critici pazienti gli hanno spiegato che, di quel mondo, il romanzo era volta a volta specchio, testimonianza, interpretazione; indotto da queste insinuazioni a sottovalutarsi, il narratore si è coinvolto in un rovinoso compito ideologizzante; non pago del messaggio, ha tentato la visione del mondo. Corrotto dalla serietà propria e dei critici, ha perso la limpida gioia della menzogna, l'irresponsabilità, la doppiezza morale, l'ilare arroganza che sono, a mio avviso, le virtù fondamentali di coloro che attendono a quel perpetuo scandalo che è il lavoro letterario (Balestrini 175-176).

Nel '67 esce *Letteratura come menzogna* di Manganelli in cui nell'omonimo saggio ai celebra la letteratura come immorale, cinica, inutile, dissacrante, perversa, corrotta, falsa, numinosa. Il saggio fece scandalo ed indubbiamente voleva essere provocatorio. In in'intervista dell'85, alla domanda a cosa reagiva il libro, Manganelli risponde:

> In quel momento c'era il dominio del neorealismo e di un filone sentimentale che includeva Moravia, Bassani, Cassola e, lo devo proprio dire, ... anche Pasolini. Era un sistema della buona coscienza, e Pasolini vi si inseriva perfettamente. La letteratura era come un fioretto, un gesto di carità che

aveva a che fare con una vocazione umanistica, di dignità, che continua a sembrarmi l'abbandono dell'aspetto più vero: quello della mistificazione. La letteratura ha tutto da guadagnare a sporcare se stessa, a rivestirsi di qualità negative (Serri).[2]

La letteratura attinge alla letteratura in un gran daffare fatto di citazioni, rifacimenti, scopiazzamenti: la letteratura genera letteratura. Per Manganelli, la letteratura è il luogo della menzogna e gli scrittori sono bugiardi, buffoni e dementi. Lo scrittore manganelliano si lascia scrivere dalle parole, dal suono delle parole non dal loro significato. Compito del lettore sarà quello di insinuarsi nel testo, di andare oltre le parole: 'occorre sollevare le botole delle parole, per scoprire altre botole, e scendere cosi un precipizio di occulte invenzioni" (Manganelli, *Letteratura come menzogna* 61). La lettura dovrebbe rappresentare un momento di sfida al testo e il lettore, come lo scrittore, dovrebbe lasciarsi andare alla seduzione delle parole. Ad uno scrittore sperimentale/anticonformista, si deve contrapporre un lettore anticonformista; secondo Almansi:

> Non ogni scrittore ha il lettore che si merita .... Bisogna difendere lo scrittore dal lettore onesto, codardo e conformista" (Almansi 69).

Moravia ha ancora delle storie da raccontare per un lettore desideroso di "storie" con personaggi, con uno sviluppo e possibilmente qualche colpo di scena; lo scrittore sperimentale scrive per un lettore ipotetico che sarà quanto meno perplesso dal testo che si trova dinanzi, un testo sicuramente non facile e spesso poco piacevole. Un testo accusato spesso di illeggibilità. Ha ragione Muzzioli nella sua analisi:

> Il fatto a che il problema della lettura rinvia al rapporto dello scrittore col pubblico...: da un lato lo scrittore domina il suo lettore imponendogli i modelli da imitare o a cui conformarsi; ma dall'altro, è il lettore a dettar legge, attraverso i cosiddetti "gusti del pubblico," che l'industria stabilisce come condizionanti alla pubblicazione. ...nella nuova avanguardia ... l'oscurità non è fine a se stessa, piuttosto si configura nella forma del meccanismo semantico che è comunicazione, difficile e complicata quanto si vuole, ma comunicazione razionalmente concepita e orientata. L'illeggibilità, dunque,

non è propriamente indecifrabilità, bensì ingodibilità (Muzzioli 15).

Essendo l'illeggibilità un requisito della letteratura sperimentale, Manganelli avrà riserve per scrittori come Renato Ghiotto, a cui rimprovera di aver scritto un libro "costosamente cheap" nonché leggibile --*Scacco alla regina*-- a proposito del quale commenta:

> Resta da chiedersi perché scrittori di fantasia in qualche modo inconsueta si impegnino a scrivere libri di svelta e fortunata lettura, quando, con qualche fatica aggiuntiva, potrebbero scriverne di illeggibili.[3] (Manganelli, "Letteratura come mafia" 5).

Queste righe fanno evidentemente andare Moravia sulle furie dato che risponde per le rime a Manganelli in un articolo su *Nuovi argomenti* dal provocatorio titolo "Illeggibilità e potere" (1967) a cui Manganelli replicherà su *Quindici* (ognuno dal suo campo di battaglia) con un articolo da un altrettanto provocante titolo: "Letteratura come mafia" (1968). È ovvio che Moravia prenda le difese di Ghiotto perché con questi si identifica; d'altronde nella citata recensione di Guglielmi gli si rimprovava di non accomodare affatto il "pigro" lettore. Il testo leggibile permette al lettore di accedere ad una "facile" e godibile lettura turbata, ostacolata o negata dal testo illeggibile che mette a dura prova il "pigro" lettore viziato da grasse e soddisfacenti "belle storie." Moravia, dunque, difende Ghiotto per difendere se stesso.[4] Singolare che non parli in prima persona e della sua personale esperienza di scrittore leggibile, né menzioni il critico della recensione (Manganelli) tantomeno lo scrittore oggetto del discorso del critico (Ghiotto). Questa l'apertura:

> Tempo fa un critico ha incitato un romanziere ... a scrivere libri illeggibili. Quest'invito ci ha sorpreso e ancor più ci ha fatto riflettere. Ma intanto che cosa si deve intendere per libro illeggibile? ... i libri illeggibili ... sono i libri che possono essere letti soltanto dal critico in questione e da altri del suo gruppo o scuola o corrente (Moravia 3).

Moravia si chiede poi quanto dovrebbe durare la suddetta illeggibilità; la risposta:

Quando parla di illeggibilità, egli allude, è giunto il momento di dirlo, a testi letterari che sono soltanto (e non per tutti) provvisoriamente illeggibili. Cioè ai testi dell'avanguardia (4).

Moravia accusa il critico di non essere stato chiaro sul perché si scrivono libri illeggibili; la chiarificazione:

> Un libro illeggibile non troverà certamente molti lettori ma sarà egualmente acquistato; e la sua illeggibilità farà una favorevole impressione ai tanti che la considerano un requisito indispensabile per una lettura veramente moderna. .... lo scrittore illeggibile ..."vuole" pubblicare il proprio libro perché sa che questo gli sarà utile (5).

L'illeggibilità costituirebbe il requisito di un testo "moderno"; ma cosa significa "moderno"? È "moderno" sinonimo di "rivoluzionario"? E qui Moravia diventa cattivo nello stabilire un'analogia tra nazismo--fascismo e illeggibilità che in comune hanno l'aspirazione al potere; scrive:

> In fondo demagoghi come Hitler e Mussolini erano per così dire "illeggibili" quando cominciarono oscuramente la loro carriera. Soltanto pochissimi intorno a loro ... li "leggevano," sapevano "leggerli." Ora qual'è il premio a cui aspira l'illeggibilità politica? Ovviamente, il potere (7).

L'illeggibilità, asserisce Moravia, è uno strumento di potere/sopraffazione sulla/contro l'ignoranza di massa e si può paragonare agli ideogrammi cinesi, al latino di avvocati e preti nel meridione e a formule magiche oscure (7-8). L'illeggibilità sarebbe nata come esigenza di tener distanti le masse ma proprio le masse avrebbero apprezzato, valorizzato e comprato il testo illeggibile perché "garanzia di qualità"; a farne le spese sarebbero gli scrittori leggibili:

> Da allora si è stabilito un tacito accordo tra le masse e le avanguardie: le masse comprano i libri perché sono illeggibili e le avanguardie hanno trasferito la loro avversione dalle masse agli scrittori leggibili. Questi in realtà sono i veri nemici; ... Insomma, attraverso il consumo è avvenuta la riconciliazione tra masse e avanguardia (9).

Qui Moravia sta ovviamente facendo riferimento agli attacchi che gli sono stati rivolti dall'avanguardia; gli scrittori "validi e leggibili" sono vittima del gioco e dell'alleanza tra avanguardia e masse. Moravia capovolge il discorso: l'alternativa, la resistenza viene dallo scrittore leggibile dato che è facile essere illeggibile: "Chiunque può essere illeggibile"(10). L'illeggibilità è, per Moravia, un' "arma di potere" in mano ad artisti immaturi e a presunti/aspiranti artisti; ci sono poi gli illeggibili "folli' che sono gli unici a non aspirare al potere (10-12). Non necessariamente gli scrittori illeggibili sono in mala fede: gli scrittori potenzialmente bravi, ora immaturi, avrebbero confuso espressività e potere;

> ... essi sono convinti che l'espressione conferisca potere e che il potere a sua volti denoti la presenza dell'espressione. Questa confusione ha la sua radice nel fatto che quegli scrittori non sanno "ancora" che cos'è l'espressione. Come certe donne che non hanno ancora incontrato l'uomo capace di procurare loro l'orgasmo e credono in buona fede che l'amore sia un rapporto puramente meccanico, gli scrittori dei testi illeggibili si illudono di esprimersi soltanto perché la loro pseudo espressione gli procura tutte le soddisfazioni mondane che essi ritengono debbano spettare a chi si esprime. Purtroppo essi non si rendono conto che, come si dice, manca il meglio; cioè che il loro successo a come un piccolo vertice che gira intorno al vuoto (10-11).

Paragone forte a cui Manganelli risponde --e così gli passiamo la parola-- in "Letteratura come mafia" dove dopo un sarcastico sunto dell'articolo di Moravia passa ad un pungente commento:

> ... non sarà sfuggita la bella similitudine della donna ignara di orgasmo, sebbene a mio avviso il Moravia un poco soprav- valuti l'importanza filosofica e pedagogica di un buon coito. Certo al Moravia, uomo schivo, alieno dalle demagogie, non può non dar fastidio il chiasso non sempre elegante, i bac- canali messi in opera dalle corporazioni degli illeggibili, la loro ingorda fruizione del successo; a chi è abituato a pochi e antichi lettori, tirature da amatore, avare collaborazioni a fogli preziosi e rari, non può non ripugnare il conclamato successo "di massa" --capite, "di massa'-- di questi immaturi

congiurati. E poi, confessiamolo, il successo mondano!
Recentemente, trascorrevo una notte nel vortice di un fastoso
veglione, sorbivo, procedendo su soffici bukhara, liquori dai
conturbanti aromi orientali, mirabili femmine, inguainate in
costosi vestiti, sensuali e stupite fremevano su damascati
divani, mentre io passavo, alto, slanciato, distaccato e pallido,
con l'occhio mobile, nervoso cogliendo attorno a me oh i
proibiti languori di Alfredo Giuliani, la malizia acerba di
Nanni Balestrini, la sardonica voluttuosità del Sanguineti, la
neghittosità orientale del Pagliarani! vero: il racket degli
illeggibili detiene ed esercita un duro potere: radio, cinema,
teatro, jets, premi, tutti i premi, liquori costosi, tirature
planetarie; e intanto, i leggibili e validi languono, appartati
nelle loro soffitte, con mano scarna e tremula vergano le loro
storie educative, ed ogni inverno muoiono come le mosche e,
se non fosse la pietas dei parrocchiani, li seppellirebbero nelle
fosse comuni (6).

Dopo questo pezzo, Manganelli decide di commentare senza
sarcasmi la *querelle* tra leggibilità e illeggibilità: da una parte c'è la
letteratura leggibile che è "umanistica", ispirata dalla "vita" e senza
ironia e che crede di poter migliorare l'umanità mentre dall'altra c'è
la letteratura illeggibile che è artificiale, innaturale, anarchica e a
proposito della quale dice:

Discontinue schegge di retorica, coaguli linguistici inadopera-
bili per compiti di socievole sopravvivenza, infine, carattere
supremamente distintivo, una lingua letteraria improbabile,
fitta di citazioni, anche maniacale; una lingua morta. Non è
letteratura affatto affettuosa, non accarezza i cani, in genere
non svolge compiti missionari (6).

Lo scrittore illeggibile non vuole concedere nulla al lettore anzi vuole
"provocarlo, irretirlo, sfuggirgli" non per puro gioco bensì per
svegliarlo dal torpore di facili letture;

...costringerlo ad avvertire, o a sospettare, che in quelle pagine
oscure, velleitarie, acerbe, in quei libri faticosi, sbagliati, si
nasconde una esperienza intellettuale inedita, il trauma
notturno e immedicabile di una nascita (6).

Possiamo parlare di "processo iniziatico" ad una lettura trasgressiva: l'unica capace di condurre in luoghi insospettabili del testo.

E qui si chiude la battaglia Moravia/Manganelli. Chi vince? Il Gruppo 63 si scioglie e le riviste ad esso legate non hanno più ragione di esistere mentre Moravia continua a dire la sua su *Nuovi argomenti*; sulle pagine di questa rivista tornerà sull'argomento nel '71 dove affermerà che il romanzo sperimentale è stato un fallimento perché ha abolito la "durata" dal romanzo e ha trasformato il romanzo in poema in prosa:

> ...i romanzi senza durata sono "noiosi" ossia poco comunicanti e poco leggibili. Si obbietterà che la noia non può essere un criterio di giudizio estetico; rispondiamo che lo è sempre che se ne approfondisca il significato. ...la noia dei romanzi del Nouveau Roman è l'impossibilità per il lettore di stabilire un rapporto con una narrazione che, sistematicamente, si rifiuta di narrare ("Poesia e romanzo" 7).

A conferma della popolarità (del potere?) dello scrittore leggibile e godibile --da sempre preferito dalle masse--, un appunto di Manganelli durante un viaggio nel '75 in India:

> .... qui nel Kerala si vantano di una letteratura brillante, "impegnata", scritta nel locale malayālam ed hanno almeno uno scrittore tradotto in molte lingue, Pillari; da come me lo descrivono, amaro, realistico, e di grande prestigio e successo, una sorta di Moravia; e, tra l'altro, appunto di Moravia mi chiedono notizie, e poi di Fanfani (Manganelli 1992, 77).

Oggi Moravia è tra gli scrittori italiani più popolari --più letti-- in Italia e all'estero e Manganelli non sarà popolare ma indubbiamente apprezzato e noto nonostante fino alla fine si sia rifiutato di "raccontare storie."[5] Alcuni scrittori che provengono dallo sperimentalismo hanno avuto una certa "fortuna." I libri di Eco, Malerba, Vassalli sono best seller; secondo Eco non c'è niente di strano:

> Una buona prova intuitiva e sociologica della sperimentalità di un artista è "quanto è comprensibile?." La risposta "nulla non garantisce la sperimentalità dell'artista... ciò che carat-

terizza sociologicamente --se non testualmente-- l'autore sperimentale ... è la volontà di farsi accettare... Il sogno di un autore sperimentale è che i suoi esperimenti, col tempo diventino norma (Eco 96).

E in una recente riflessione sulla ricezione dei testi sperimentali, Giuseppe Petronio scrive:

> ... a diffondere e a radicare certi modi dell'avanguardia non sono state le opere che essa ha prodotto, dal momento che assai pochi le hanno lette e le leggono, ma fatti non strettamente "letterari": il cinema ... o la televisione, o la pubblicità, che con la letteratura dell'avanguardia hanno avuto in questi decenni uno scambio fittissimo ... e hanno familiarizzato il loro pubblico ... a procedimenti e a trovate proprie dell'avanguardia. E cosi hanno educato una fetta cospicua di pubblico a leggere senza eccessive difficoltà scrittori, soprattutto di narrativa, dal tasso altissimo di letterarietà, a patto che rinunziano alla inintelligibilità alla sperimentazione esasperata "raccontino", non rinnegando del tutto le proprie idealità del passato ma venendo anche incontro ai gusti di un pubblico finalmente ritrovato (Rosa 45).

La qu*erelle l*eggibilità/illeggibilità ha fine con lo scioglimento del Gruppo '63 ma non le analisi e riflessioni sulla portata del dibattito e delle esperienze letterarie ad esso legate; dibattito ed esperienze di cui Manganelli e Moravia, sono stati senz'altro importanti protagonisti.

(Grazia Menechella. University of Wisconsin Madison)

NOTE

[1]Un ampio dibattito sulla leggibilità/illeggibilità dell'avanguardia è in "Avanguardia tra leggibilità e illeggibilità o no" *Trerosso* 2 (1966); citato in Muzzioli, 37, nota 3.

[2]Un discorso a parte merita il rapporto Pasolini-Gruppo '63 fatto di accesi scambi. così nel '66 Pasolini vede e prevede la fine del Gruppo: "Ci sarà ancora qualche convegno, in cui dei giovanotti cretini e petulanti

parleranno di antiromanzo come se parlassero di prosciutto di Parma. Poi la fine: e chi avrà qualche qualità, sia pure da abatino, potrà continuare, mentre sugli altri cadrà il meritato silenzio, come sui gruppi ingialliti di fotografie di poeti ermetici al caffè, o di squadristi: proprio in tal modo."("La fine dell'avanguardia" 20, nota 4). Schwartz suggerisce che l'autore della *Divina mimesis* faccia riferimento all'incontro del Gruppo 63 a Palermo in cui Pasolini si era sentito figurativamente colpito a morte (Schwartz 479-80.)

    [3]Questo commento, che chiudeva la recensione del libro di Ghiotto, viene poi citato in "Letteratura come mafia'.

    [4]Nel numero 6 di *Nuovi Argomenti* ("Illeggibilità e potere," 7-8) Moravia attacca il manierismo sperimentale --Manganelli è il manierista del Gruppo 63-- e prende le difese di "certi narratori": "La neoavanguardia ha affibbiato a certi narratori il nomignolo di... Liala. Ma se riflettesse che in questi narratori c'è lo stesso distacco critico dalla materia, lo stesso 'rivisitamento' ... forse cambierebbe l'accusa in quella di maniera più o meno 'ben fatta' '' ("Metavanguardia e manierismo" 8).

    [5]Si veda in particolare *Encomio del tiranno. Scritto all'unico scopo di fare dei soldi.*

OPERE CITATE

Almansi, Guido. *Amica ironia*. Milano: Garzanti, 1984.

AA.VV. "Avanguardia tra leggibilità e illeggibilità o no." *Trerosso* 2 (1966).

Balestrini, Nanni (a cura di). AA.VV. *Gruppo 63. Il romanzo sperimentale*. Milano: Feltrinelli, 1966.

Eco, Umberto. "Il Gruppo 63, lo sperimentalismo e l'avanguardia." *Sugli specchi*. Milano: Bompiani, 1985; 93-104.

Ghiotto, Renato. *Scacco alla regina*. Milano: Rizzoli, 1967.

Guglielmi, Angelo. "L'avanguardia adulterata." *Quindici* 1 (1967): 1.

Luperini, Romano. *Il Novecento*. Torino; Loescher, 1981.

Manganelli, Giorgio. "Letteratura come mafia." *Quindici* 9 (1968): 5-6.

------. *Letteratura come menzogna*. Milano: Adelphi, 1985 [1967]. 215-23.

------. *Encomio del tiranno*. Milano: Adelphi, 1990.

------. *Esperimento con l'India*. Milano: Adelphi, 1992.

Moravia, Alberto. *L'attenzione*. Milano: Bompiani, 1965.

------."Il romanzo del romanzo: appunti per *L'attenzione*." *Nuovi argomenti* 1 (1966): 3--13.

------. *Il mondo è quello che è*. Milano: Bompiani, 1966.

------. *Una cosa è una cosa*. Milano: Bompiani, 1967.

------. "Metavanguardia e manierismo." *Nuovi Argomenti* 6 (1967): 3-10.

------. "Illeggibilità e potere." *Nuovi argomenti* 7-8 (1967): 3-12.

------. "Poesia e romanzo." *Nuovi argomenti* 22 (1971): 7-12

Muzzioli, Francesco. *Teoria e critica della letteratura nelle avanguardie italiane degli anni sessanta*. Roma: Treccani, 1982.

Pasolini, Pier Paolo. "La fine dell'avanguardia." *Nuovi argomenti* 3-4 (1966): 3-28.

------. *Divina Mimesis*. Torino: Einaudi, 1975.

Rosa, Giovanna (a cura di). "Cinque domande sul passato." In Vittorio Spinazzola (a cura di). *Tirature '91*. Torino: Einaudi, 1991. 24-53.

Schwartz, Barth David. *Pasolini Requiem*. New York: Pantheon, 1992.

Serri, Mirella. "Manganelli: è letteratura vera se dice bugie." (Intervista a Manganelli) *La Stampa*. 16 novembre 1985.

Moravia and the Middle Class: the Case of "Seduta spiritica"

Howard Moss

Moravia began to write about the middle class in 1927 with the short story "Cortigiana stanca," his first attempt at fiction to be published.[1] It tells of the end of a depressing relationship between a woman and her younger lover who can no longer afford to keep her in the style she is used to and whose energy is absorbed in trying to "dominare il malessere che l'opprimeva."[2] Hard upon its heels *Gli indifferenti* (1929) was also set in a middle-class milieu and dealt with similar problems, as was the case for other stories of the period such as "Inverno di malato" and "Fine di una relazione."[3] But any analysis that sees this early fiction as a conscious attempt by Moravia to present a critique of middle-class life is necessarily conditioned by a retrospective view of the uriter's ideas and literary production. The fact is that at stage in his development Moravia knew no other milieu than the bourgeois one he portrays and the sense of defeat, emptiness, futility and inertia which informs his early work represents a view of life in general not a judgement aimed specifically at the life style of the bourgeoisie. It represents, in other words, no elaborate consciousness of social divisions or class differences or of the shaping of man by history and environment. As Giancarlo Pandini has it, "i personaggi si muovono in un quadro privato."[4]

Only later, when political experience, travel and observation of injustice in society have broadened the writer's consciousness, will we be able to see Moravia's fiction as consciously expressing or reflecting any kind of social or political commitment. This starts to be seen in *Le ambizioni sbagliate*, the less than successful long novel of 1935, but more especially in the *Racconti surrealistici e satirici*, first published in 1940 and 1944 and mingling stories of idiosyncratic or ordinary individual lives with message-bearing tales which often carry

a powerful cutting edge. Examples of the latter are 'L'epidemia,"
under which title the collection was later published, and more
especially "Primo rapporto sulla terra dell''Inviato speciale' della luna"
where the moon visitor on earth simply cannot bring himself to
believe that "foglietti di carta colorata o ... pezzetti di metallo in forma
tonda," money that is, can possibly be the real reason for the
"diversità così enormi" in the way the different classes live. "Strano
paese," he is forced to conclude,[5] Overt class analysis, or at least
juxtaposition, is also the hallmark of stories not part of this collection
such as "Andare verso il popolo" (1944) and the short novel *Agostino*
(1944) considered by some, for its delicate many-facetedness, to be
the finest example of Moravia's fiction.

   Anti-Fascism and growing sympathy with the working-class
cause will lead Moravia in the immediate post-war period to con-
centrate much of his creative energy on writing not so much about the
middle class, whether in terms of individual portrayals or to offer a
social critique, as about characters and situations from proletarian life
with the indignities, discomforts and oppressions inherent therein. So
emerge *La romana* (1947), *La ciociara* (1957) and, more significantly
in the context of the present study, the short stories of *Racconti
romani* (1954) and *Nuovi racconti romani* (1959). These stories
present a vivid gallery of characters, events and circumstances based
on the writer's imaginative observation of the life of the capital,
peopled in the main by "gente che vive in modo precario, in mezzo
a mille difficoltà, a mille preoccupazioni, ricorrendo ad infiniti
espedienti per chiudere la giornata in modo proficuo."[6] Yet it would
not be fair to say that these "racconti" have an explicit class bias or
ideological message, even when, as in a story like "Romolo e Remo,"
they portray working-class poverty in its direst form. Remo, for whom
"l'urgenza della fame non si può paragonare a quella degli altri
bisogni," is shown tricking an expensive meal out of his old army
friend Romolo who himself lives with his family in "miseria completa,
assoluta."[7] This tale, told in tragicomic vein, has an ambivalence
towards its material which has led one critic to talk about Moravia's
"negative sympathy" for the working class.[8]

   But to what extent does class sympathy or ideological
commitment provide a key at all? To grasp the nature of these stories
(and indeed of Moravia's post-war *racconti* in general) it is perhaps
useful to consider that the writer had to say in 1958, in a piece he
wrote entitled "Racconto e romanzo," in which he attempts to define
the difference between the two genres.[9] In a novel, he says, the

characters "hanno ... un lungo, ampio e tortuoso sviluppo che abbina il dato biografico a quello ideologico e si muovono in un tempo e in uno sgazio che sono insieme reali ed astratti, immanenti e trascendenti." Those of a short story, however, "son colti in un momento particolare, ben delimitato temporalmente e spazialmente, e agiscono in funzione di un determinato avvenimento che forma l'oggetto del racconto." They are "personaggi non ideologici, visti di scorcio o di infilata secondo le necessità di un'azione limitata nel tempo e nel luogo; ... un intreccio che tragga la sua complessità dalla vita e non dall'orchestrazione di una ideologia purchessia." As literary theory goes, this is by no means an unchallengeable view and indeed many of Moravia's earlier stories are, as we have seen, informed precisely by that "ideologia" he here claims can form no part of the short story. But it is, I believe, a view that sheds a good deal of light on the forms Moravia himself gives to and the methods he uses in his own short stories, starting with the *Racconti romani* and going right through his collections over the following two decades (*L'automa, Una cosa è una cosa, Il paradiso, Un'altra vita, Boh*). If over this period he moves from working-class to middle-class settings for his stories, throughout his characters remain caught in that "momento particolare" and are never presented through any kind of ideologically slanted vision but "in funzione di un determinato avvenimento che forma l'oggetto del racconto."[10] Any class-specific conclusions to be drawn from these stories are largely in the eye of the beholder and are far from being the explicitly present feature which they could be in earlier stories and which they are quite definitely in the longer works of the period such as *Il conformista, La ciociara* and then *La noia. La noia* is especially significant in that it marks the writer's return to his "existentialist" roots but with the added dimension now of a conscious critique of bourgeois society, a focus to be carried on with varying degrees of narrative success in later novels such as *L'attenzione* (1965), *Io e lui* (1971) and *La vita interiore* (1978).

That the distinction between "racconto" and "romanzo," theorized by Moravia, seems to hold with respect to his own fiction helps, I believe, in a correct interpretation of the "lone" short story entitled "Seduta spiritica" which was first published in 1960. This story did not and has never appeared in any volume of Moravia's collected "racconti." It was delivered by Moravia to Dina Rinaldi and Leone Sbrana, for inclusion in *Racconti nuovi*, a collection of short stories by various Italian writers of which they were the editors. It then appeared in another anthology of Italian short stories, *Novelle del Novecento*, published in Britain in 1966 and later brought out in the United States.[12] This anthology has gone through several reprints since its first publication (the most recent in 1988) and, being widely read by aspirant and practicing Italianists in the English-speaking world, has for many been the way in which Moravia's writing was introduced to them.[13] And the only critical word which, so far as I know, has been written on "Seduta spiritica" appears in the introduction to *Novelle del Novecento* where its editor, Brian Moloney, states: "Moravia's "Seduta spiritica" is a satire on middle-class gullibility" (xi). He goes on to say that the story is representative of the theme of "the corruption of the bourgeoisie" (xi), which recurs often in Moravia's work.

It is hard, particularly for non-specialists, not to be influenced by cold print, especially when what they are reading is written by an expert whose views on a writer are based on far more than just a single story in an anthology. And my own experience of teaching and receiving reaction on Moravia is that readers of the stories in this anthology have rarely failed to be influenced by the judgement Moloney passes on "Seduta spiritica." Since this judgement is clearly at variance with Moravia's own literary theorizing on the nature of the short story and since this story has found itself in a formative role in introducing Moravia's fiction, a useful purpose seems to me to be served in taking a close look at "Seduta spiritica" and seeing if what we find in it bears out the interpretation Moloney provides for his readers. And if we find that it is not primarily about an aspect of what we have indeed seen to be one of the writer's common themes, "the corruption of the bourgeoisie," how does this story fit (or does it fit at all?) into the main areas of concern to be found in Moravia's fiction? [14]

"Seduta spiritica" has neither characterization nor complexity of plot. It tells, in a first-person narrative, the story of an individual who arrives for a social gathering at the home of someone he does not know having been invited by a third party. He quickly realizes he has made a mistake and come to the wrong house but he resolves to stay and perhaps amuse himself at the expense of his hosts who have taken him for a medium about to conduct a seance. As things get more difficult, however, he decides to slip away. There is little "action" therefore and much of the story's flavour, attraction and readability lies in its depiction of milieu and the people in it. The house is described as the property of "gente ricca ma senza gusto, piena di quei mobili dorati fabbricati in serie che rimangono nuovi e stranieri fino

al giorno in cui vengono rivenduti al rigattiere" (17). The living room
is "sfarzosamente illuminato" (17) with ugly furniture "in stile Luigi
quindici" (19), the women are "ingioiellate" (17) and the guests all
wear "goffi vestiti" (191). They are wealthy middle-class people,
"professionisti e burocrati" (17) as the narrator calls them, and from
the way they are described it is easy to be drawn into empathy with
the narrator's obvious distaste for their world and their life style. Even
more so when with mocking terms like "solennità" (18) and "ansiosi
e compunti" (18), to render their bearing and their attitude he tells us
of their preparations for some strange ceremony of whose nature he
is still unaware. Up to this point a reading of the story as "a satire on
middle-class gullibility" would seem justified, but what happens after
and in fact constitutes the bulk of the narrative, will, as we shall see,
militate against such an interpretation.

     As soon as he realizes the nature of the ceremony (i.e. that it
is a seance), the narrator's attitude changes: "Allora provai una curiosa
sensazione; come di vergogna per l'impulso di giuoco che mi aveva
guidato fino a quel momento" (18).[15] He no longer feels like playing
some kind of trick on these people but comes to reflect on the fact
that, in their attempt to communicate with the supernatural, they are
"degni piuttosto di rispetto che di scherno" (18). He then goes on to
compare his own situation with that of an explorer in a tropical forest
who comes upon a native tribe engaged in a totemic ceremony, The
explorer would not find the sight laughable and, despite the fact that
the narrator's experience is taking place in a modern city, why should
he laugh? Why after all should these people be denied their magic
rites, their culture, any more than "negri seminudi"? (18). This makes
him begin to revise his position and a further analogy he now uses
enables him to see them in a truly favourable light. He thinks of how
a typical group of Italians thrown together socially would normally
behave. They would be discussing economics or politics, each would
be trying to outdo the other by talking as loudly as possible ("strilli")
is the word used to describe the noise they would be making) and
none would be listening to what the others had to say. Here, instead,
he sees "facce tese e attente" (18), here he sees people in genuine
communion who do not feel the need to display their egos, even if it
does take belief in some kind of magic to unite them in this way:
"Così, riflettei, non ci voleva meno del soprannaturale, sia pure quello
dei tavoli giganti, per riunire gli uomini e far tacere i loro egoismi"
(18-19).

At this point the tasteless decor and everything else that seemed to symbolize the defects of these people fade from the narrator's view as he is struck by the realization that what truly unites these people is not a belief in the supernatural at all but something that lies "fuori della casa" (19), to be precise "la presenza della notte primitiva" (19) and "il terrore di questa notte" (19). The sentence in which he makes this discovery reads:

> E per un momento i brutti mobili in stile Luigi quindici, i goffi uestiti, la luce elettrica, le pareti stesse della sala scomparuero dai miei occhi e io avvertii fuori della casa la presenza della notte primitiva, tenebrosa e infinita, e capii che ciò che riuniva quelle persone era il terrore di questa notte (19).

I have quoted it in full for it seems to me to be the very kernel of the story, the passage from which its fundamental meaning can be drawn. Twice in quick succession the word "notte" is used, qualified in the first case by words emphasizing negative features easily associated with it   ("primitiva, tenebrosa e infinita") and connected in the second to the even stronger and more significant "terrore." This image of the dark night, fathomless and fear-inspiring, replacing as it does concerns which are now made to seem trivial by comparison, points neither to a continuing desire on the part of the narrator to amuse himself at his hosts' expense nor to some kind of supernatural explanation as I have sometimes heard suggested,[16] but to a statement of the dark terrifying alienation which the world outside means to man and his need to find some means of communing with others in order to escape from it. The shouting and not listening of people talking "economia e politica" (18) has told us that everyday social intercourse precludes real communication between human beings. But here these believers in magic, for all that what they do may on the surface seem worthy of mockery, are managing by shared activity to overcome the alienated individualism which informs modern society and which inspires a profound feeling of terror in all those who are part of it, including, as wee shall see, the narrator himself.

With this discovery the narrator decides he must find a way out of the situation which will be honorable both for himself and his audience. He does so by getting them to agree to put out the lights so that the skeptic he claims to know is present can leave. Then, since he is the skeptic, he is the one who slips away. But the story does not end here. On leaving the house he sees "una figura di uomo che guardava incerto al numero, sul pilastro" (19), the real medium. He directs him in and then he goes off, as the final words of the story tells us, "nella notte" --"io mi allontanai nella notte" (19). If further evidence were needed of the story's central point, it is here in this final "notte." This close presses home the theme present in the key sentence quoted earlier of life outside the walls of the house being dark and full of terror. And it is in this terror that man in modern society, symbolized now by the narrator, must live unless he can find the communion with others inherent in some kind of shared purpose or commonly-held belief. So the character who began the story as the superior being who could look down on others for their conformism, bad taste and gullibility, ends it as the unfortunate outsider, the one not lucky enough to be able to enjoy the unselfconscious association with others which would rescue him from the alienation and solitude of a hostile atomized environment.

This analysis makes it difficult to accept the view of the editor of *Novelle del Novecento* that "Seduta spiritica" reflects the concern found in Moravia's fiction with "the corruption of the bourgeoisie." The story seems to provide little evidence that the writer's concern is to put across a specifically class-based or ideological message. What Moravia does rather is to create a vividly drawn situation (I have already suggested that a good deal of the literary attraction of this story lies in its mocking depiction of milieu) in which believable interaction can take place between characters aiming at what the writer has elsewhere referred to as "la ricerca dell'assoluto."[17] The principal aspect of that "assoluto" reflected here is the alienation of man in a world which presents itself to him as frightening and incomprehensible. To reduce this story's point to a criticism of middle-class values is both to relativize it and to see it in the shadow of Moravia's longer fiction of the Sixties which undeniably has a clearly delineated class-based dimension but whose genre, as far as Moravia is concerned, allows it to.

This non-class-specific alienation of "Seduta spiritica" links it to many of the other short stories of the time, in particular those collected in *L'automa* (1963), Both the theme of tormented non-communication and the form in which it is expressed are echoed by stories such as "L'automa," "Il viaggio di nozze," "L'angoscia" and "La testa contro il muro."[18] But, perhaps more importantly, "Seduta spiritica" also takes us back to Moravia's starting point in "Cortigiana stanca" and *Gli indifferenti* where the overwhelming sense of spiritual emptiness carried no conscious ideological implication. If Moravia was, as some critics have suggested, the father of European existentialism, then perhaps we can say that it is in his short stories especially that the echo of existentialism continued to be heard throughout the writer's long literary career.[19]

(Howard Moss. University College of Swansea)

NOTES

[1]In Volume I of Moravia's *Opere complete: I racconti* (Rome: Bompiani, 1966), 5-16.

[2]*Ibid.*, 16.

[3]*Ibid.*, 31-65, and 61-76.

[4]*Invito alla lettura di Moravia* (Milan: Mursia,1973), 46.

[5]All the quotations from this story are from *L'epidemia. Racconti Surrealistici e satirici* (Rome: Bompiani, 1957), 425.

[6]G. Pandini, *Invito alla lettura*, 84.

[7]*Racconti romani* (Rome: Bompiani, 1967), 371-77.

[8]Giuliano Dego, *Moravia* (Edinburgh and London: Oliver and Boyd, 1966), 66.

[9]Published in *L'uomo come fine e altri saggi* (Rome: Bompiani, 1964), 273-78. The quotations that follow are to be found on pp. 277-78.

[10]*Ibid.*

[11](Rome: Editori Riuniti, Pioniere, 1960).

[12]"Seduta spiritica" appears on pp. 17-20 of the anthology. All references in Arabic numerals are to these pages. Those in Roman numerals are to the editor's introduction. It is published in the United States by St.

Martin's Press, New York (1982).

[13]The same can be said for the other famous names in Italian fiction represented in this anthology, in particular Bassani ("In esilio"), Brancati ("La doccia"), Buzzati ("Appuntamento con Einstein"), Calvino ("Funghi in città"), Cassola ("I poveri"), Ginzburg ("La madre"), Pasolini ("Biciclettone"), Pavese ("La città"), Soldati ("Il campione"), and Vittorini ("Sola in casa").

[14]A useful syhthesis of the theme of the "borghese in crisi" in Moravia is to be found in Vittorio Spinazzola, "Un borghese antiborghese," *Per Moravia*. Press Book della sua morte, ed. Jader Jacobelli (Rome: Salerno Editrice, 1990).

[15]The terminology used to describe the narrator's initial decision to remain in the house ("fui trattenuto da un istinto di giuoco" 17) is almost identical to that used in another story of mistaken identity, "Il conto" (in *L'Automa*), written around the same time. In "Il conto," Claudio "ne fu trattenuto da un istinto di gioco e di avventura," but this is a story which has a far less strongly philosophical tone and a quite different kind of outcome from "Seduta spiritica."

[16]The argument I have heard in discussion with colleagues and students, though not seen in print, is that the narrator at this point realizes that the supernatural beliefs of the spiritualist group are a response to religious mysteries, symbolized by the dark mysterious night, that are not susceptible to human explanation. I cannot see that a close reading of the text or its tone support this view. Nor does Moravia's writing in general, which, even if it has been reasonably described in terms of "religiosità," holds little brief for "religione." On this see Geno Pampaloni, "Realista utopico", preface to A. Moravia, *Opere* (Milan: Bompiani, 1986), esp. xli-xliii.

[17]"Io non credo che uno scrittore debba essere apolitico; se la politica lo interessa, è giusto che ne parli e ne faccia. Credo però che la letteratura non è, né può essere, politica, anche se comprende la politica come tutti gli aspetti del reale. L'arte è la ricerca dell'assoluto; la politica quella del relativo: che hanno a che fare l'una con l'altra?" (*Corriere della Sera*, 13 January 1985, 3).

[18] In *L'automa* (Rome: Bompiani, 1963).

[19]This aspect of Moravia's work has been much written about. Spinazzola (*op. cit.*, note 14, p. 176) sums it up thus: "Il punto è che per Moravia gli uomini sono accomunati da un destino di prigionia solitaria, che vanifica ogni aspirazione a ritrovare l'autenticità di se stessi aprendosi a una

comunione con il mondo." See also Alberto Limentani, *Alberto Moravia tra esistenza e realtà* (Venice: Neri Pozza, 1962), and B. Baldini Mezzalana, *Alberto Moravia e l'alienazione* (Milan: Ceschina, 1971).

Moravia, Prezzolini, e l'America

Luciano Rebay

Alberto Moravia arrivò per la prima volta in America all'età di ventinove anni, nel 1936, e vi passò cinque mesi. Fu quello il più lungo dei vari suoi soggiorni oltreatlantico. Eppure di quel considerevole avvenimento si parla ben poco, e quel poco da un'ottica fortemente distorta, nell'autobiografia-intervista *Vita di Moravia* (Bompiani, Milano, settembre 1990), uscita per avventura proprio il giorno della morte del protagonista. Infatti se da una parte, stranamente, non vi si fa il minimo accenno alle sue documentabili, vivacissime e non importa quanto discutibili riflessioni sull'America e la società americana provocate a caldo da quel primo diretto contatto, dall'altra viene schizzato un ritratto acidamente riduttivo, e per tutto dire ingiusto, dell'uomo che generosamente invitandolo e offrendogli ospitalità gli rese possibile quell'esperienza, ossia Giuseppe Prezzolini.

Vita di Moravia fu composto per così dire a quattro a mani con la collaborazione di un intervistatore, lo scrittore e giornalista Alain Elkann, il quale, ingaggiando l'anziano romanziere in uno scambio di botte e risposte, lo indusse a riesumare e ripercorrere ottant'anni di memorie a beneficio dei posteri. Per ciò che concerne l'America, per esempio, Moravia a un certo punto rammenta che dopo la pubblicazione delle *Ambizioni sbagliate* (luglio 1935) "una circolare del ministero ingiunse a tutti i giornali di non parlarne. Per giunta Mussolini invase l'Etiopia e tutta l'Italia fu presa dalla febbre di un colonialismo provinciale e in ritardo. Allora, disperato, partii sul *Rex* per gli Stati Uniti, dove ero stato invitato da Giuseppe Prezzolini che dirigeva la Casa italiana presso la Columbia University" (73).

Poco più in là Elkann chiede: "Che effetto ti fece l'arrivo a New York?" Moravia: "L'effetto di essere una persona non aspettata, perché Prezzolini si guardò bene dal venire a prendermi. [...] Allora presi un taxi, diedi l'indirizzo, Amsterdam Avenue, e traversai New

York. Arrivai alla Casa italiana della Columbia University e trovai
soltanto un *janitor* che mi mostrò la mia camera, una cameretta nuda
arredata con dei mobili di metallo. [...] Aprii la valigia, disposi le mie
cose. Mi ero portato due vestiti, una giacca di *tweed* marrone con
pantaloni grigi e un vestito blu di *serge*. Mi misi a fumare, aspettando
Prezzolini, che infine arrivò e mi salutò con freddezza." Elkann: "Lo
conoscevi già?" Moravia: "No, non lo conoscevo." Sarebbe dovuta
bastare questa risposta per mettere sul chi vive l'interlocutore,
segnalandogli che qualcosa non andava, specialmente a ridosso della
minuta rievocazione di un particolare così insignificante quale il colore
dei due vestiti portati appresso in valigia, che in apparenza sembrava
indicare una capacità di *recall* quanto mai rara. Poiché in effetti quel
reciso "No, non lo conoscevo" clamorosamente contraddiceva una
precedente e facilmente verificabile sua testimonianza in proposito,
che vedremo più innanzi, dalla quale risulta senza ombra di dubbio
che i due si erano conosciuti prima in Italia, ed anzi era stato durante
il loro ultimo incontro a Roma che Moravia aveva espresso il
desiderio di venire negli Stati Uniti e Prezzolini gli aveva offerto una
camera alla Casa italiana.

Elkann: "E com'era [Prezzolini]?" Moravia: "Prezzolini era
un toscano, alto, magro, asciutto, con un viso da toscano antico.
Originariamente altezzoso e poi mortificato dalla vita, perciò c'era in
lui una mescolanza di rigidezza intellettuale e di umiliazione
esistenziale. Era uno degli uomini più austeri che ho conosciuto in
vita mia. La sua idea di sé era questa: «Io sono l'ultimo erede di una
razza magnifica, i toscani. Dopo di me non ci saranno più che dei
bastardi»." Elkann: "Ti ha intimidito?" Moravia: "Non ero intimidito
affatto, lo guardavo semmai con curiosità. Prezzolini in fondo soffriva
di essere diventato fascista, poiché era fascista. Praticamente diceva
questo: «Il fascismo è quello che è, ma è la cosa migliore che possa
fare l'Italia»" (75-76).

Ora, mi sembra che Moravia avrebbe potuto almeno
onestamente riconoscere che nonostante il suo "fascismo" Prezzolini
aveva però ugualmente accolto alla Casa italiana uomini come lui, o
come Borgese, o come Soldati, per nominare solo due altri ospiti di
quegli anni, gente insomma che certo non rappresentava l'Italia
ufficiale di Mussolini e del Regime. Ma non lo fece, e anzi proseguì
imperterrito sullo stesso tono, apparentemente senza preoccuparsi dei
tranelli che la memoria poteva tendergli dopo tanto tempo, o forse
cedendo a un momento di malumore: "Alla Casa italiana frequentavo
un professore di greco, che era razzista e antisemita. Era toscano

come Prezzolini, un grecista bravissimo. Aveva fatto sue le idee di Hitler." Elkann: "Ma non ti dava fastidio?" Moravia: "Volevo vedere cosa diceva. [...] Perciò io ascoltavo il professore nazista che esponeva le idee di Gobineau sulla razza ariana. Lo strano è che lui sapeva benissimo che ero mezzo ebreo. Era una situazione tipica di quegli anni: si stava in amicizia con delle persone che poi avrebbero potuto diventare i nostri nemici o magari i nostri delatori e perfino i nostri assassini. Infatti, quando tornai in Italia e incontrai per caso a Forte dei Marmi il professore razzista, lui finse di non riconoscermi. Dopo la guerra dissi a Prezzolini che quel professore era un mascalzone: Prezzolini ridacchiò, cercò di scusarlo dicendo che ciascuno aveva le sue idee" (77-78).

Tale in sostanza è il ritratto desolato e desolante che Moravia ci lascia del tempo da lui trascorso a New York nel 1936 quando abitava alla Casa italiana di Columbia University. Tralascio le immancabili e più o meno piccanti avventure dongiovannesche che come un po' dappertutto nel libro costellano anche queste pagine. Confesso che avendo conosciuto Moravia personalmente per oltre vent'anni, e avendone stima, quei suoi "ricordi americani" così poco attendibili mi pongono in qualche imbarazzo. Intanto posso subito attestare che il presunto professore di greco di cui sopra, nazista, razzista e toscano come Prezzolini, altri non era che Dino Bigongiari di Serravezza, professore d'italiano e, nel '36, capo ("Chairman") del dipartimento d'italiano. Si era già pensionato ma abitava sempre a Manhattan quando io vi arrivai negli anni Cinquanta, e lo conobbi. Era un uomo dotto e mansueto, dotato di fine intelligenza, e in ogni modo l'ultima persona che si sarebbe potuto sospettare capace di diventare da un giorno all'altro un "nemico" o un "delatore" o magari addirittura un "assassino." Professionalmente era un medievalista, tenuto in alto conto soprattutto per i suoi studi su Sant'Agostino e su Dante. Non faceva mistero (non ne fece con me, pur conoscendo le mie idee politiche) della sua passata adesione al fascismo, ma non se ne vantava.

Il mistero per me sta nel fatto che Moravia abbia potuto tramandarci una visione così poco scrupolosa, e, proprio per tutto ciò che vi viene omesso, così superficiale, di un periodo importante della sua vita di cui in altri scritti, qui inspiegabilmente taciuti come se non fossero mai esistiti, ebbe a dare un resoconto tanto diverso, e più esattamente, tanto più completo e equilibrato. Mi riferisco naturalmente alle lettere scambiate con Prezzolini lungo un arco di tempo di oltre quarant'anni, dal 1935 fino al 1981, vale a dire fin

quasi alla vigilia della scomparsa dell'ultracentenario fondatore della
Voce. Stese in uno stile diretto e quasi parlato, con l'uso frequente di
trattini in luogo dell'ordinaria interpunzione, e marcate da un piglio in
cui la più volte ripetuta gratitudine per il destinatario si accompagna
ad una fresca, cordiale franchezza, queste lettere costituiscono a mio
vedere un documento abbastanza singolare e comunque non
trascurabile nella storia del Novecento italiano, nel senso che ci
offrono una documentazione concreta dei singolari rapporti intercorsi
fra due personaggi che per vie e meriti diversi hanno inciso un segno
nella storia del secolo, due individui dissimili per temperamento,
esperienze, interessi culturali, convinzioni politiche e filosofiche, ma
che purtuttavia si trattarono in ogni occasione con manifesta simpatia
e reciproca stima. Senza contare che, in particolare, le lettere del '36
ci consentono appunto di apprendere quali realmente fossero le
impressioni di Moravia su quel suo primo viaggio in America e sulle
persone che ebbe occasione di incontrarvi. Il bistrattato Bigongiari,
per esempio, vi figura subito, alla fine di un biglietto stilato poco dopo
il rientro in Italia, ma in un riferimento quanto mai amichevole: "Mi
saluti [...] Bigongiari che fu così gentile con me -- cose cordialissime
a Sua moglie e a Lei."

Del carteggio Moravia-Prezzolini fu da me pubblicata
un'abbondante scelta proprio su questo medesimo periodico, nel 1969.
("Carteggio inedito Alberto Moravia-Giuseppe Prezzolini, 1935-1965".
Forum Italicum, III, 4, 1969, 567-584). Chiedo scusa se mi trovo
costretto a nominare me stesso. Brevemente, fu Prezzolini a propormi
la pubblicazione di quegli inediti quando seppe che mi ero impegnato
a preparare un saggio monografico su Moravia per una collana di
profili di scrittori europei contemporanei.[1] Avvenne così che nel mese
di giugno del 1967 portai a Moravia, a casa sua a Roma, le fotocopie
di quelle sue lettere perché le esaminasse e mi dicesse se potevo
stamparle. Acconsentì subito, assicurandomi che gli avrebbe fatto
piacere.[2] Ma a prescindere da quell'edizione americana, ciò che
importa rilevare è il fatto che la *completa* corrispondenza con
Moravia, sempre col consenso di quest'ultimo, fu riunita in volume
più di vent'anni dopo da Prezzolini stesso, con l'aggiunta di una
pagina ricavata dai suoi diari, e tre articoli (Alberto Moravia-Giuseppe
Prezzolini. *Lettere*. Milano: Rusconi, settembre 1982).[3] Fu l'ultimo
suo libro, uscito sfortunatamente troppo tardi perché l'anziano
curatore, spentosi due mesi prima, potesse avere la soddisfazione di
vederlo esposto nelle vetrine dei librai. Il contratto editoriale
prevedeva una tiratura di duemila copie e assicurava a ciascuno dei

due autori un milione di lire come anticipo e il 5% di diritti sulle vendite (*Lettere* 84). Moravia aveva chiesto e ottenuto "di avere in lettura le bozze. Se non altro per avere una vista panoramica del carteggio" (85). In data 29 agosto 1981 scriveva: "Caro Prezzolini, Ho ricevuto le bozze delle lettere, mi pare che vanno bene" (p. 86). Insomma, è quasi incredibile che opere così recenti e di così agevole consultazione come i *Diari* di Prezzolini del '78-'80 e *Lettere* dell'82 siano stati ignorati da chi si accingeva neppure dieci anni dopo a interrogare Moravia sulla sua "vita." E' difficile non pensare che se soltanto l'intervistatore si fosse debitamente informato in precedenza, e di conseguenza avesse un poco guidato garbatamente l'intervistato al momento opportuno, agendo da freno o da correttivo ogni qual volta fosse stato necessario, per esempio facendogli presente ciò che aveva avuto occasione di scrivere a mente fresca quarant'anni prima e che ora mostrava di avere completamente scordato, le risposte di quest'ultimo sarebbero state immancabilmente più equanimi e obiettive. Malauguratamente, e forse proprio per colpa di una difettosa preparazione, ciò non avvenne, con il risultato che del rapporto Moravia-Prezzolini e Moravia-America, *Vita di Moravia* ci consegna una versione che semplicemente non corrisponde alla realtà dimostrabile dei fatti.

Non rimane a questo punto che gettare un'occhiata di verifica ad alcuni passi probanti del summenzionato volume dell'82, *Lettere*, incominciando con la più antica missiva, datata "12 novembre 1935:"

Caro Prezzolini,
Lei si ricorderà forse che l'ultima volta che ci si vide a Roma io Le parlai di un mio progetto di viaggio negli Stati Uniti. Ora ho ripreso questo progetto e avrei intenzione di partire d'Italia il più presto possibile. Però, dato che non è possibile portare con sé più di una certa somma (2.000 lire di moneta italiana e 1.000 in valuta straniera) sono costretto a rammentarLe l'offerta che Ella mi fece a Roma, di una camera alla Casa Italiana della Columbia University.
Le scrivo perciò per sapere se posso ancora contare sul Suo gentile aiuto. Io avrei intenzione di non trattenermi più di un mese e di partire come ho detto il più presto possibile, cioè appena avessi ricevuto una Sua risposta affermativa.
Il mio indirizzo è: Alberto Moravia via Donizetti 6 Roma. Le sono molto grato di quello che Lei potrebbe fare per me in questa occasione e spero che il mio viaggio possa effettuarsi e io possa

presto salutarLa a New York.
   Intanto Le mando i miei migliori e più cordiali saluti.

   Suo Alberto Moravia

   Immediatamente dopo il soggiorno a New York, Moravia indirizzò a Prezzolini due lunghe lettere non datate, che secondo Prezzolini sarebbero state composte a bordo del transatlantico che riportava lo scrittore romano in patria. Sono fra le principali del carteggio e sicuramente le più importanti dal punto di vista del giudizio che Moravia dà dell'America, un giudizio complessivamente così favorevole nella prima che egli sente il bisogno nella seconda di correggere alquanto il tiro per non correre il rischio, come spiega lui stesso, di venire scambiato per un osservatore distratto e superficiale:

   Gentilissimo Prezzolini -- si legge nella prima lettera --

   *[...] io debbo a Lei, che mi invitò alla Casa Italiana, una delle più fortunate esperienze della mia vita - non è questo uno dei soliti complimenti che si fanno dopo tali soggiorni, ma la pura verità - sarà merito dell'America oppure della lontananza, ma questi 5 mesi che ho passato a New York hanno ristabilito il mio equilibrio che in Italia mi pareva compromesso - con altre parole hanno servito a farmi passare da uno stato mentale negativo ad uno positivo - non è poco - [...].[4]
   Come già ebbi a dirLe, pur con tutte le riserve che sono necessarie, gli Stati Uniti mi sono parsi un fatto grandissimo, in cui gli elementi positivi superano di molto quelli negativi - di tutti i paesi che ho visitato finora, è quello che mi pare il più moderno, cioè quello che senza volontà apparente ha creato un certo genere di civiltà che tutti gli altri, compresa la Russia, cercano di imitare (16-17).*

   Prosegue affermando che "se si considera il comunismo come un progresso e una speranza," gli Stati Uniti sono "il solo paese che potrebbe adottarlo senza scosse troppo forti e forse senza perdere certe libertà democratiche." Quanto a sé stesso aggiunge di essere felice di tornare in Italia, "ma questo non ha nulla a che fare con i ragionamenti precedenti - una questione di sentimento, poco spiegabile insomma, ma altrettanto se non più valida." "Mi ricordi molto cordialmente a Sua moglie" - scrive più sotto concludendo - "mi saluti tutti gli amici - e si abbia i più cordiali saluti dal Suo Alberto Moravia" (17-18).

Nella seconda lettera, come si diceva, egli riprende il discorso per ribadire che, sì, "gli Stati Uniti sono un fatto grandissimo," ma che d'altra parte "ci sono molte cose in America che mi disgustano e mi sembrano infinitamente peggiori che in Italia." E tiene a precisare che se di tali cose prima non ha parlato non significa che non le avesse notate, bensì che "partendo, il ricordo della mia esperienza *personale* la quale è stata ottima mi ha per un istante fatto dimenticare una parte di verità sopra gli Stati Uniti." (19)

La quale "verità," viene spiegato nelle quattro pagine successive, comprende un livello di povertà e di disoccupazione più elevato che in qualsiasi paese europeo; una tale mancanza di cultura nelle masse, "così stupide e così divise razzialmente," da essere semplicemente miracoloso che l'America sia potuta rimanere un paese libero e democratico; un materialismo "edonistico" così pervasivo da aver fatto dimenticare "l'amore per la terra e in genere per tutti i valori che non possono essere tradotti in moneta;" e infine, "quello che soprattutto fa rabbia a un Italiano," cioè "la miseria dei contadini e degli operai, di milioni di essi, nel paese più ricco del mondo" (19-21).[5] Il contrasto fra capitalismo e proletariato è in America talmente flagrante, osserva Moravia, da giustificare "una terminologia convenzionale e noiosa come quella marxista" (22). Anche se poi però si affretta a riconoscere che in definitiva non si spiega l'America ricorrendo a formule astratte; e, chiudendo, nuovamente esprime la sua riconoscenza a Prezzolini:

> *Del resto, comunismo o capitalismo, il problema americano non si risolve neppure così -- perché è anzitutto, come dovunque, un problema difficile a spiegarsi in termini razionali, un problema insomma umano -- ed è vero fino ad un certo punto che gli uomini siano un prodotto sociale -- ci sono le razze, c'è la natura, c'è persino il caso. [...]*
>
> *La Sua compagnia, torno a dirlo, mi fu molto grata, e mi fece molto piacere di conoscerLa meglio -- l'esperienza americana la debbo a Lei in gran parte.*
>
> *Mi creda cordialmente il Suo Alberto Moravia. (23)*

A puro titolo di curiosità aggiungerò che Moravia fece ritorno alla Casa Italiana di Columbia University in compagnia di Dacia Maraini nella primavera "calda" del 1968, nel bel mezzo delle ormai storiche sommosse studentesche. Nello studio di un professore al quinto piano dell'edificio affermò con sicurezza di riconoscere la stanza che Prezzolini gli aveva assegnata oltre trent'anni prima.

In *Lettere* sono riunite in totale ventidue missive di Moravia e dieci di Prezzolini. Tutte stanno ad attestare che i loro rapporti si mantennero sempre sotto il segno dell'amicizia e del rispetto reciproco e non cessarono che con la morte di Prezzolini. Questi rimase sempre un convinto, fedele ammiratore del romanziere Moravia, che considerava "il più grande narratore che l'Italia abbia avuto dopo Boccaccio" (64). Dal canto suo Moravia, ancora nel 1979, quando Prezzolini aveva raggiunto la veneranda età di novantasette anni, non mancava di congratularsi con lui vedendolo sempre sulla breccia, sempre "così attivo e vivace," gli ripeteva per l'ennesima volta di avere conservato "un ricordo molto preciso del mio soggiorno alla Casa Italiana," e gli inviava "i più affettuosi auguri" (82).

Ma ad illustrazione di tutto ciò metterà forse conto di trascrivere per intero, prima di concludere, due brevi lettere, una per ciascuno dei due, entrambe rimontanti al 1965. Era appena uscita *L'attenzione*, e Prezzolini aveva evidentemente manifestato all'autore il suo compiacimento e i suoi elogi. Anche se la lettera stessa non ci è pervenuta - e deve essere accaduto pure per altre - non è difficile capire dalla risposta di Moravia che Prezzolini aveva perspicacemente individuato in quel "romanzo di un romanzo" una struttura chiaramente pirandelliana, e non l'aveva taciuto. Scriveva dunque Moravia (lettera datata da Prezzolini "Intorno al settembre 1965"):

> *Caro Prezzolini,*
> *La ringrazio per la sua nota sul mio ultimo romanzo, molto acuta e non priva di simpatia per la mia opera. Mi ha fatto piacere e tengo a dirglielo.*
> *Non rifiuto affatto il precedente Pirandello. Ma il romanzo mi è venuto così com' è senza mai pensare una sola volta a Pirandello. Era in origine un romanzo di tipo normale che però non funzionava. Ho dovuto farlo diventare il romanzo di un romanzo per farlo funzionare. Quanto alla storia: anche quella è venuta da sé. Forse Pirandello vi si è introdotto per analogia di situazione.*
> *Grazie di nuovo ad ogni modo. E mi creda con tanti auguri il suo Alberto Moravia (70).*

Prezzolini rispondeva a sua volta (lettera datata "1 ottobre 1965"), lieto che Moravia non avesse male interpretato le sue osservazioni e proponendo con slancio toccante (era, come Moravia del resto, un uomo che solitamente non amava lasciar trapelare moti di commozione) che da quel momento si dessero del tu:

> *Caro Moravia,*
> *mi par che sia tempo che ci diamo del tu; ci siamo conosciuti da molti anni e ti ho considerato con simpatia, con stima e anche con ammirazione, nonostante che da un comune pessimismo sugli uomini io ricavi conseguenze assai diverse dalle tue ottimiste.*
> *La tua lettera m'è stata una piacevole sorpresa. Son lieto che tu non ti sia avuto a male delle mie osservazioni. Vedo che hai capito che eran dettate dalla mia intelligenza e non da partito preso.*
> *Toccava a me di darti del tu, vista la mia età. Spero che lo capirai, anche se nel futuro ci troveremo, o continueremo a trovarci da parti opposte.*
> *Credimi tuo aff.mo Giuseppe Prezzolini (71).*

Non si può fare a meno di ripetere malinconicamente che è un vero peccato che di tutto questo non traspaia nulla in quello che è purtroppo l'ultimo libro di Moravia - la storia della sua vita raccontata in extremis e ora per così dire sigillata in un testo che il nome del biografato quale coautore sembrerebbe designare come "ufficiale" o quanto meno "autorizzato." Forse in una futura edizione "riveduta" qualcuno riterrà opportuno inserire una nota correttiva, un'avvertenza. Auguriamocelo.

(Luciano Rebay. Columbia University)

NOTE

[1]Luciano Rebay. *Alberto Moravia.* New York and London: Columbia University Press, 1970.

[2]Di quel mio incontro con Moravia, e in particolare di una interessante, lunga lettera che egli mi inviò poco dopo, il 19 agosto, nella quale parla di sé, della sua famiglia, della storia del suo nome e degli equivoci che ne nacquero (gli venne attribuita una raccolta di poesie composte da un omonimo Alberto Pincherle che non era nemmeno lontanamente suo parente, ecc.), ho riferito in un altro mio scritto apparso anch'esso sulle pagine di questa rivista: "Moravia: storia e strascichi di uno «pseudonimo»." *Forum Italicum*, IV, 1, March 1970, 16-22.

[3]I *Diari* di Prezzolini (1900-1968) furono pubblicati in due volumi, rispettivamente nel 1978 e 1980. La pagina riportata, dal primo di essi, risale al 1936, mentre appunto Moravia risiedeva alla Casa Italiana di Columbia University. Vi si legge fra l'altro:
C'è qui da vari giorni Moravia che mi riesce molto simpatico. Non è soltanto uno scrittore. E' un uomo di svariati interessi e di grande acume e di rapida osservazione. Ha capito subito cose dell'America che quelli che arrivan dall'Italia metton anni a intendere. [...] Passo con Moravia parecchio tempo e mi sono accorto che anche lui ci sta volentieri, perché alle volte viene a bussare alla porta di casa per ragioni da nulla e soltanto perché mia moglie gli dice di venir dentro a far due chiacchiere e non si fa pregare due volte. [...] Tratto con un uomo della nuova generazione, più che d'accordo, sullo stesso terreno, senza equivoci. Era molto che non m'accadeva. Il fascismo mi aveva estraniato dall'Italia. Mi pareva di non parlare più italiano (Moravia-Prezzolini. *Lettere*, 10-11).
Dei tre articoli inclusi nel libro, due furono pubblicati in Italia ("Lettera aperta a Moravia." *La nazione*, 25 giugno 1961; e "Processo a Moravia." *Il borghese*, 7 marzo 1968); il terzo, un profilo bio-bibliografico-critico intitolato "Moravia," scritto in inglese in occasione della traduzione americana de *La romana* (*The Woman of Rome*. New York: Farrar Straus, 1949), uscì sulla rivista *Books Abroad*.

[4]Contrariamente all'asserzione di Moravia di aver passato "5 mesi" a New York, ogni qual volta Prezzolini fa riferimento alla durata del soggiorno newyorkese di Moravia parla di *due* mesi, non di cinque. Cfr. *Lettere*, "Prefazione," p.6: "Dopo questi due mesi..."; "Lettera aperta a Moravia," "La Nazione," 25 giugno 1961, p. 59: "...quei due mesi rimangono ancora nella mia memoria..."; lettera del "[Giugno] 1978," p. 78: "[la] Casa Italiana, dove lei dimorò per un paio di mesi..." Io credo però che si debba prestar fede a Moravia, il quale scriveva subito dopo il soggiorno a New York, anziché a distanza di alcuni decenni come venne fatto a Prezzolini.

[5]Nel ritratto "negativo" degli Stati Uniti tratteggiato da Moravia in questa seconda lettera mi sembra siano riconoscibili degli echi di quell' "antiamericanismo" - *America bashing*, come direbbero gli americani - che dopo il crollo della borsa di Wall Street nel 1929 e la gravissima depressione economica che ne seguì fu un sentimento parecchio diffuso presso molti intellettuali progressisti europei negli anni Trenta. Paul Hazard, l'illustre letterato e accademico di Francia, scriveva nel 1931 dopo un viaggio negli Stati Uniti: "Di ritorno a Parigi, mi accorgo che per essere alla moda bisogna dir male dell'America; per essere alla moda, bisognava esaltarla oltre misura, tre o quattro anni fa. Il vento è cambiato; se continua così, non ci sarà più macellaio di paese, che sgozza il maiale nel cortile, che non parli con

disprezzo dei mattatoi di Chicago." (Cfr. Michela Nacci. *L'antiamericanismo in Italia negli anni Trenta.* Torino: Bollati Boringhieri, 1989, 13)

Il Dio Kurt, ed altri percorsi sulla scena moraviana

Elena Urgnani

Il rapporto di Moravia con il teatro si è sviluppato sempre in chiave minore rispetto alle sue opere di narrativa. Non solo in termini quantitativi, ma anche --secondo il giudizio implicito nel disinteresse dei critici-- in termini qualitativi. Se è vero che, date le qualità intrinseche del mezzo teatrale, ben raramente uno scrittore di romanzi si è dimostrato capace di contribuire dei pezzi drammaturgici di qualche rilievo, è anche vero tuttavia, che nel breve flirt di Moravia col teatro c'è, secondo me, almeno un'opera di rilievo: *Il Dio Kurt.*[1] Ambientato in un campo di concentramento tedesco, in Polonia, nel 1944, questo dramma presenta una sua autonoma originalità, soprattutto per la molteplicità dei livelli di lettura cui si presta, riuscendo ad emergere come rappresentativo della concezione moraviana di un teatro che fosse dibattito filosofico incarnato nella scena, ed allo stesso tempo non rinunciasse al valore rappresentativo, simbolico e ludico della messa in scena.

Il soggetto della rappresentazione è un "esperimento culturale" condotto dal maggiore delle SS Kurt --comandante del campo di concentramento-- su di un gruppo di prigionieri ebrei. Questo esperimento consiste a sua volta in una rappresentazione teatrale: quella dell' *Edipo Re* di Sofocle, da parte di una famiglia di attori ebrei. Il che crea un interessante paradigma di "teatro nel teatro," per cui una delle possibili chiavi di lettura di quest'opera diventa quella di un discorso meta-teatrale, condotto sui fili dell'analogia e del paradosso. Si tratta di un dramma a tesi, dove la tesi finisce per rovesciarsi e concludersi nella distruzione del filosofo che la enuncia. Uno dei pregiudizi ricorrenti sul teatro moraviano è quello di una presunta mancanza di spettacolarità, in questo dramma tuttavia l'attenzione alla scenografia è la prima cosa che colpisce:

Teatro del campo di concentramento, allestito in una baracca.
Parete e soffitto di assi. Grandi bandiere naziste, rosse con
croce uncinata nera, come decorazione. Il teatro è diviso in
due parti: platea e palcoscenico. Nella platea, su due file di
banchi sta seduto il pubblico composto di ufficiali e soldati
delle SS e di deportati. Sul palcoscenico, nel momento in cui
si leva il sipario, non c'è nessuno. La scena rappresenta un
ambiente della Grecia antica: un tempio, una piazza, qualche
casa. Il materiale e la fattura saranno rozzi e sommari, quali
ci si può aspettare in una rappresentazione allestita in tempo
di guerra in un campo di concentramento sperduto nelle
foreste della Polonia. Una grande stufa di maiolica occupa
tutto un angolo della platea; un albero di Natale addobbato
fastosamente, l'altro angolo. Attraverso una delle due finestre
si scorge un abete dal quale pendono i cadaveri di alcuni dei
deportati impiccati. Attraverso un'altra finestra si intravede
una torre di guardia, il filo di ferro spinato del recinto, altri
alberi. Nevica. Entra Kurt, il comandante del campo. È vestito
da maggiore delle SS. Ma invece del berretto porta una
parrucca bionda, arruffata e spelacchiata. Sulla divisa indossa
un lenzuolo strappato e poco pulito drappeggiato come una
toga. Le braccia con le maniche ornate dei galloni del grado
e le gambe con gli stivali spuntano fuori del lenzuolo (*Il Dio
Kurt* 8).

Molti hanno già rilevato la contrapposizione simbolica dei due
abeti: quello addobbato con le decorazioni natalizie, e quello dal quale
pendono i cadaveri degli impiccati. A me preme qui sottolineare come
una simile struttura permetta a Kurt di giocarsi in un ruolo di
raisonneur che richiama molto da vicino la situazione pirandelliana dei
Sei personaggi in cerca di autore, permettendo al suo discorso
filosofico di essere continuamente contraddetto non solo da Saul, ma
anche dal pubblico teatrale delle SS.

Secondo Kurt, autore, regista, demiurgo e deus-ex-machina
della rappresentazione, l'umanità pura, nobile, eroica, forte, luminosa
e libera alla quale i nazisti aspirano, sarà un'umanità senza morale,
cioè un'umanità senza Dio. Per la semplice ragione che ciascun uomo,
in una simile umanità, sarà a tutti gli effetti un dio. Liberarsi della
moralità "ebraica," sinonimo per Kurt della moralità della famiglia,
sarà il prossimo obiettivo di Hitler, egli non lo ha ancora dichiarato
perché' i tempi non sono maturi. I guerrieri Ariani non avevano

famiglia --spiega Kurt-- essi adottarono questa istituzione dalle razze inferiori conquistate. Il nazismo intende correggere gli errori dei propri antenati, distruggendo la famiglia, "il solo serio ostacolo alla creazione di un' umanità veramente libera, veramente eroica, veramente, cioè, simile a quella degli Ariani" (15). Molti ufficiali delle SS, fra il pubblico, hanno famiglia, e sono tutt'altro che pronti a sottoscrivere la sua tesi. Nel conflitto scenico e drammatico che Moravia rappresenta, il pubblico delle SS ha un ruolo primario in funzione di antagonista, e si contrappone attivamente ai suoi sforzi di rappresentare il dramma: interloquendo vivacemente, ponendo obiezioni tutt'altro che irrilevanti, alle quali Kurt deve ribattere in un serrato confronto filosofico ed esistenziale.

Per ammissione dello stesso Kurt, il suo pensiero ha una base psicoanalitica:

> Sigmund Freud era un ebreo, si, signori, la mia teoria deve qualche cosa alle sue. Ma Sigmund Freud, non bisogna dimenticarlo, era un ebreo tedesco cioè era nato, aveva studiato, era sempre vissuto in un ambiente sociale e accademico puramente tedesco. Freud con l'astuzia propria della razza aveva, per così dire, succhiato la teoria della cultura tedesca, un po' come un parassita succhia il sangue dal corpo che lo ospita. . . . Freud . . . . dice due cose, l'una vera, l'altra falsa. La vera è che in ogni famiglia, se la natura fosse lasciata libera di avere il suo corso, genitori e figli avrebbero tra di loro dei rapporti sessuali. La falsa è che, così stando le cose, bisogna reprimere la natura, cioè creare dei tabù (18).

Nel progetto suicida di Kurt, del quale all'inizio non si capisce la portata, ma che si svela progressivamente allo spettatore con magistrali tocchi di accumulo, l'esito è dichiarato sin dall'inizio, ma con un linguaggio teorico-didascalico tale da risultare incomprensibile:

> Kurt: Perché il Fato della finzione si dimostrerà incapace di far sì che Edipo si accechi e Giocasta si uccida, ossia si dimostrerà incapace di far sì che la tragedia di Edipo sia una tragedia. A questo punto il Fato, diciamo così, greco si ritira e lascia posto al Fato, diciamo così, tedesco (25).

Demiurgo nella vita così come nella finzione, Kurt ha fatto in modo che il protagonista della sua tragedia, Saul, come Edipo, uccidesse inconsapevolmente il padre, ed avesse rapporti carnali con la propria madre. Con questa ambigua contaminazione fra vita ed arte, propria del decadentismo, Kurt si riconferma nel proprio stereotipo negativo di romantico esasperato, cui la lettura di Nietzsche fornisce le basi ideologiche per la giustificazione dei propri vizi. Vi si può leggere tuttavia anche una larvata polemica verso un certo tipo di cattivo teatro. L'artista vero usa la vita come spunto e punto di partenza per un discorso artistico, il cattivo artista forza la realtà per ridurla nei propri schemi ideologici, facendo violenza alla vita ed all'arte stessa.

Nello svolgersi della rappresentazione emerge dalla memoria emotiva di entrambi l'esistenza di una vecchia amicizia tradita fra Kurt e Saul, un'amicizia che è anteriore alla rappresentazione stessa, nonché alle leggi razziali. Dalla memoria personale di entrambi, appare anche che i sentimenti incestuosi che Kurt vorrebbe giustificare sul piano teorico sono in realtà i propri sentimenti per la sorella Ulla, morta suicida dopo che Kurt l'aveva obbligata a darsi a Saul. Ulla si era innamorata dell'ebreo, del quale era anche rimasta incinta, ma Kurt si era opposto alla loro relazione, e lei, pur desiderandolo, non aveva saputo o voluto combattere la sua opposizione, e si era uccisa.

Portatore di una logica razionale aberrante, ma non per questo priva di interessanti intuizioni poetiche, Kurt riesce a trasfigurare metaforicamente la vicenda della sorella: egli sostiene che Ulla sia stata per Saul ciò che la sfinge era stata per Edipo. Molti eroici guerrieri, prima di Edipo, avevano provato a risolvere l'enigma della Sfinge, ma nessuno vi era mai riuscito, perché nessuno aveva mai sospettato che la soluzione fosse così banale. Edipo ha sconfitto la sfinge de-mistificandone la complessità, ma allo stesso modo Saul ha sconfitto l'originale ostilità di Ulla, quando le ha mostrato che dietro il suo amore incestuoso per il fratello, e la loro comune ricerca di modi e modelli di vita superumani, si celasse il desiderio di normalità implicito nell'ideale di sposarsi e crearsi una famiglia. Risolto l'enigma, Edipo uccide la sfinge, allo stesso modo --secondo Kurt-- Saul ha ucciso Ulla, poiché' ella non ha potuto sopravvivere all' angoscia causatale dalla scoperta in se stessa di questo desiderio di normalità.

Secondo l'interpretazione che Kurt dà del mito greco, Edipo era il contrario dell'eroe, cioè un uomo d'ordine, conformista, timorato, religioso, bigotto, egli era l'uomo che voleva essere in regola con le leggi, le norme, i precetti, le convenzioni, le consuetudini e addirittura anche i pregiudizi, ecco perché' --secondo Kurt-- la moralità di questo "eroe" deve essere sconfitta, in quanto obsoleta e passatista. Saul dovrà quindi impersonare Edipo, ma l'epilogo della tragedia sarà differente: invece di auto-punirsi per i propri misfatti, Saul-Edipo sarà riconsegnato al campo di sterminio, dove il Fato Tedesco ne completerà lo sterminio, non in quanto colpevole contro la morale, ma in quanto ebreo. Nell'avvicendarsi di questi due Fati dovrà consistere, secondo Kurt, il messaggio della rappresentazione. Kurt sceglie per se' il ruolo del Fato,[2] che è un ruolo didascalico, per cui l'andamento narrativo è completamente diverso da quello dell' Edipo Re di Sofocle, dove appunto l'avanzamento dei nodi della trama è dato dalla ricerca e dal continuo interrogare e interrogarsi di Edipo; mentre nell'Edipo di Kurt l'azione viene avanzata in maniera espositiva, prevalentemente attraverso il racconto di Kurt. Non a caso il personaggio che dà il titolo all'opera è appunto Kurt, e non Saul o Edipo. Saul sembra stare al di fuori degli eventi nei quali è imprigionato, mentre Kurt --come Edipo-- formula delle domande, si pone degli interrogativi, per cui il dramma è solo apparentemente il dramma di Edipo-Saul, mentre in realtà è il dramma edipico di Kurt. Nella discussione fra i due amici-nemici, Kurt parte sempre da posizioni di ribellismo, mentre associa Saul con quanto vi è di tradizionale e di conservatore. Saul è anche la sola figura paterna nella vita di Kurt, l'unica figura maschile che sia per lui di qualche importanza. Obbligando Ulla ad unirsi a Saul, Kurt sta in effetti riunendo il proprio padre e la propria madre, ed obbligando Saul a rappresentare il dramma di Edipo, egli in effetti distrugge Saul e l'autorità familiare e patriarcale che questi rappresenta per lui. Questo è dunque il parricidio di Kurt. Ha osservato Fabrizio,[3] che la struttura del Dio Kurt rivela Kurt essere l'autentica figura edipica del dramma, e l'osservazione mi pare interessante, anche se non esaustiva, in quanto una lettura esclusivamente psicoanalitica rischia di appiattire il significato del dramma, che di fatto va oltre. Kurt per vendicarsi ha fatto in modo che Saul, al buio ed all'insaputa di quanto stava facendo, avesse rapporti sessuali con Miriam, la propria madre. E questa volta gli avvenimenti della sua ordalia vengono esposti al pubblico non da Kurt (personaggio didascalico), ma da Saul, che li ha vissuti in prima persona.

> Saul: . . . . Non avevo che quindici minuti per fare l'amore: il tempo che ci metteva la ronda per andare da un capo all'altro di quella parte del campo. La donna si spogliava al buio, si stendeva accanto a me; e allora io, subito, mi gettavo su di lei. Facevamo l'amore con furore, con disperazione, con

rabbia, con violenza. . . . Non era erotismo, il mio. . . Forse
un bisogno di nascondermi nel luogo stesso dal quale ero stato
cacciato, nascendo; di rannicchiarmi di nuovo nel ventre della
donna e non uscirne mai più. In certo modo, in quelle donne
io sentivo più la madre che l'amante (70-71).

Il racconto di Edipo-Saul procede, raccontando la fuga nel bosco e
l'uccisione del soldato di guardia al sentiero; un soldato che era in
realtà suo padre travestito da SS per ordine di Kurt. Ancora ignaro del
proprio parricidio, Saul è stato ricatturato e spinto sul palcoscenico del
teatro. Kurt gli spiega dunque il retroscena della sua storia: gli rivela
l'identità del soldato ucciso, e gli spiega come la donna con la quale
si è accoppiato per quasi due mesi fosse in realtà sua madre, Miriam,
ora incinta di lui. Interessante notare il rilievo vitalistico che Moravia
attribuisce all'ebreo Saul mediante la paternità: Saul ingravida due
donne nel corso del dramma: dapprima Ulla, poi sua madre Miriam.
La sua vocazione a generare è in acuto contrasto con il ribellismo
amorale e sterile di Kurt. Dove Saul rappresenta il sentimentalismo,
Kurt ne è invece atterrito, e si colloca sempre al di sopra delle
passioni, con la dichiarata intenzione di controllarle e di manipolarle.

    Nell'ultimo atto, Kurt ordina a Saul di accecarsi, ed a Miriam
di suicidarsi, ma stavolta Saul si ribella e gli spara. Anche questo però
era stato previsto --spiega lo stesso Kurt moribondo-- quest'atto finale
di ribellione è servito a dimostrare che l'istinto di sopravvivere è più
forte del rimorso per Saul, pur parricida, e per Miriam, pur madre
incestuosa. E con ciò la morale della famiglia, cioè la morale ebraica,
rivela di non essere già più valida, e cioè si rivela inutile, inservibile,
obsoleta.

> Kurt: . . . Saul, con il suo colpo di pistola ha licenziato
> definitivamente il Fato Greco, il povero, ormai innocuo Fato
> antico, . . . e ha riconosciuto l'esistenza del terribile, oscuro,
> misterioso, imperscrutabile e spietato Fato moderno . . . cioè
> il Fato Tedesco. Il Fato delle razze, delle nazioni, della
> società, dei gruppi . . . Il Fato Tedesco che punisce Saul non
> già perché ha ucciso suo padre e ingravidato sua madre; ma
> perché' è nato (95)

Kurt morente raccomanda che Saul e Miriam non siano puniti, ma
riconsegnati al campo per essere sterminati come gli altri, insieme agli
altri, non sia dunque loro inflitta alcuna speciale punizione. Come tutte

le tragedie, anche questa deve avere una catarsi, commenta Kurt, e la
catarsi sarà "la creazione di un'umanità libera, nobile, pura, luminosa,
forte, eroica, nella quale gli uomini saranno simili a dei" (96).
Un'umanità che Kurt non potrà vedere, perché' ormai certo della
propria fine, ed anche perché' presago della fine del Reich. Nel
costruire il personaggio di Kurt, Moravia non ha voluto negargli una
certa grandezza tragica, quella conferitagli dal fatto di farsi uccidere
(volontariamente) prima di vedere il crollo delle proprie illusioni
palingenetiche, pur di avere il coraggio disperato delle proprie
illusioni. Il dramma si chiude con l'obbedienza agli ordini di Kurt, ed
un ritorno allo spaventoso status-quo ante.

> Saul tace. Le SS danno degli ordini. I deportati si mettono in
> fila e cominciano ad uscire dalla scena a destra. Scoppia una
> marcia militare hitleriana. Due SS prendono il cadavere di
> Kurt per le gambe e per le braccia e si avviano verso sinistra.
> Dietro di loro seguono Horst, gli ufficiali, i soldati. L'ultimo
> soldato esce da sinistra nello stesso momento in cui l'ultimo
> deportato esce da destra. La scena è vuota. Lentamente si fa
> buio (Cala il sipario) (100).

Lo status quo trionfa, ed il mondo continua a marciare verso
la distruzione programmata da un comandante suicida e visionario.
Che vi sia un pregiudizio critico verso il teatro di Moravia, è
dimostrato proprio dal grossolano arbitrio di certi giudizi critici. A
questo proposito si veda per esempio Pandini:

> anche questa tragedia non si sottrae ad una dimostratività e
> didatticità che Moravia sembra prediligere, senza però
> giungere alle conclusioni estreme. Il dramma interiore del
> protagonista non è seguito nei suoi sviluppi e soggiace
> piuttosto a uno schema, che illustra una concezione moraviana
> in rapporto al dramma nazista, con lieto fine tradizionale,
> quando gli alleati irrompono a porre termine all'avventura dei
> deportati.[4]

Ma quale lieto fine? È evidente che il critico non ha
nemmeno letto con attenzione l'opera di cui scrive. Il lieto fine è
quanto di più lontano ci sia dalle intenzioni dell'autore. Non dissimile
è la conclusione di Tessari, secondo il quale l'autore vorrebbe il-
lustrare così la sua ipotesi circa una rinascita dell'elemento dionisiaco

che non riguarderebbe più l'individuo, ma la collettività, votata dal destino "borghese" (nazista o non nazista) alla condanna della più abbietta degradazione e del lavoro alienante. E tuttavia --conclude il critico-- questo sarebbe uno spunto ideologico interessante, se calato in strutture che ne rendessero evidente la carica provocatoria e i limiti mistificanti, ma Moravia ama troppo il suo antico e costantemente inseguito fantasma della tragedia per saperci dire che, in realtà, "anche il sogno di Kurt (al pari del suo) è fallimentare: l'Edipo rinnovato dal maggiore tedesco è solo una raffazzonatura grand-guignolesca."[5] Assai meno semplicistico mi sembra quanto scrive Groppali, che essendo un critico teatrale, è forse meno condizionato nel suo giudizio dalla lettura del Moravia narratore. Secondo Groppali, l'urlo di Saul diventa alla fine l'urlo di Kurt, brivido acuto che serpeggia raccapricciante dalle quinte ai sedili, dove i piccoli "nazisti" di oggi replicano alla "tragedia" con l'educato assenteismo dell'applauso.[6]

Saul non urlerebbe l'orrore di essere diventato da vittima carnefice, ma di vivere in un reale che non fa distinzione fra l'uno e l'altro ruolo, un reale che spalma uniforme il bitume sulle antiche differenziazioni (i generi e i valori, le parole e le cose). Saul infatti non ha ucciso Kurt, ma è stato un numero a cancellarne un altro, indifferente apatia delle cifre stese su una lavagna "da campo."

Se il nazismo "storico," quello dei lager tra la Polonia e Buchenwald, è morto, non così è l'apatia morale, un'apatia che colora di tinte lugubri un mondo ridotto a palcoscenico, dove l'uomo è ombra che rimanda solo a se stessa. Al pubblico cui questo spettacolo era destinato, questa dichiarazione doveva suonare come una presa di posizione:

> Non ha più importanza che la Germania ieri come gli Stati Uniti oggi perdano le loro battaglie nei tanti Vietnam sparsi sul nostro piccolo pianeta quando l'indifferenza si è trasformata in disattenzione e la tragedia di Edipo, come scrive Francesco nell'Attenzione, non consiste più nella scoperta drammatica del linguaggio dell' Es, ma in "un'ignoranza volontaria, presuntuosa, impaurita ed empia" (Moravia, L'Attenzione 74).[7]

Moravia aveva esordito come scrittore di teatro fin dal 1954, con una satira politica, La mascherata, che fu rappresentata con un certo successo al Piccolo Teatro di Milano il 14 aprile dello stesso anno, per la regia di Giorgio Strehler. Si trattava di un dramma scritto sulla falsariga dell'omonimo romanzo, che invece era stato pubblicato nel 1941. In questo dramma "l'azione si svolge nella villa della duchessa Gorina. Ai nostri giorni, in una repubblica immaginaria," che richiama, per instabilità politica e vocazione all'intrigo, il volto di un paese latino-americano. La duchessa Gorina è, secondo Groppali (Groppali 113), l'esponente di quella vecchia aristocrazia che da sempre fiancheggia i regimi autoritari, rappresenta la sublimazione di casta dell'oppressione di classe, per cui Moravia, nel ritratto geografico del parco della duchessa, vorrebbe offrirci un ritratto psicologico dell'oligarchia. Nella sua villa si tessono oscure trame, attentati ed adulteri, ma gli attentati sono velleitari, ed i rivoluzionari inetti vi soccombono. Il dramma venne tradotto in spagnolo l'anno successivo: *La mascarada*.[8]

La seconda prova drammaturgica in cui Moravia si cimentò, fu invece *Beatrice Cenci* (1955), messa in scena in varie città d'Italia, oltre che a Roma, e portata sino a Sao Paulo del Brasile, nell'estate del 1955, dalla Compagnia Ricci-Magni-Proclemer-Albertazzi, con la regia di Franco Enriquez. È un dramma che rappresenta il tragico destino della famiglia Cenci, ricostruito sulle cronache giudiziarie del Cinquecento, e nel quale il classico moraviano tema dell'indifferenza morale delle classi borghesi si sposta all'indietro di quattrocento anni, nella Roma papalina. Curiosamente, la *Beatrice Cenci* è l'unica opera teatrale di Moravia tradotta in inglese. Se ne registrano due edizioni, entrambe a cura di Angus Davidson, una americana (NY: Farrar, Straus & Giroux, 1958), ed una londinese (London: Secker & Warburg, 1965).

La produzione teatrale di Moravia, se non è marginale, è tuttavia effettivamente episodica. Dalla *Beatrice Cenci* al lavoro successivo, *Il mondo è quello che è* (1966) c'è infatti uno iato di 8 anni. Si tratta di un lavoro rappresentato nell'autunno del 1966 al Festival del Teatro Contemporaneo a Venezia dalla compagnia del Teatro Stabile di Torino, con la regia di Gianfranco De Bosio e con protagonista principale Franco Parenti. Esso rappresenta l'azione in una villa di un giovane industriale e vive sulla trovata di Milone, professore di filosofia. Egli è l'intellettuale cinico, asservito completamente ai meccanismi del potere, ed ha inventato un gioco, un passatempo, che ha chiamato "la terapia del linguaggio." Questa cura consiste nel liberare il linguaggio da tutte le parole che significano qualcosa, e nello scegliere invece un discorso di sole parole che si riferiscano ad oggetti. Per bocca di Milone e attraverso il suo gioco, noi scopriamo che la società del neocapitalismo uccide le parole che "significano" veramente, per lasciare in vita quelle prive di senso, non più legate alle cose, in un universo piatto, livellato, uniforme. Il dramma si chiude con l'omicidio (colposo) da parte della padrona di casa della sguattera muta, un personaggio nel quale si somma alla sua dimensione di serva l'afasia che è simbolica della classe sociale cui non è data la facoltà di esprimersi. Il gioco sulle parole, e con le parole, richiama Beckett, mentre l'insistenza su di una visione del mondo "di classe," e invece tipicamente moraviana. Il lavoro fu rappresentato anche a Parigi, con traduzione e adattamento di A. Husson, e regia di Pierre Franck, al Théâtre de l'Oeuvre, il 14 ottobre 1969 (*Le monde est ce qu'il est*," Paris: Avant-scène, 1970).

Scritto nello stesso anno (1966), l'atto unico *L'intervista* è il più debole da un punto di vista spettacolare. Con tre soli personaggi, il dramma manca quasi totalmente di azione. I tre rappresentano dei punti di vista chiaramente marcati ideologicamente, e quindi facilmente riconoscibili. Si tratta dell'inviato speciale della luna sulla terra, che vuole conoscere la situazione del pianeta, del ministro, che gli spiega che la terra versa in condizioni non buone, a causa della perfida genìa dei poveri, che sono ignoranti e sporchi, e di una sentinella di guardia, alla quale l'inviato si rivolge durante una breve assenza del ministro, e che gli spiega la situazione a rovescio: i poveri sono ignoranti e sporchi, perché' i ricchi controllano tutte le ricchezze e il potere. L'ingenuo lunare propone al ministro di aprire la cassaforte, e di distribuirne il contenuto, cosicché i poveri non siano più tali, così dicendo si avvicina alla cassaforte, ma a questo punto il ministro gli spara. Un didascalismo così piatto non ha evidentemente bisogno di essere commentato. Moravia aveva già scritto un racconto simile, chiamato "Epidemia: Primo rapporto sulla terra dell' "inviato speciale" della luna." La rielaborazione teatrale fornì l'occasione per la fondazione del gruppo teatrale sperimentale "Il Porcospino," ad opera di Alberto Moravia, Enzo Siciliano e Dacia Maraini.

Il teatro filosofico e di parola di Moravia compie un deciso salto di qualità l'anno seguente, con *Il Dio Kurt*, pubblicato nel 1968, di cui ho già parlato diffusamente, e sul quale non sarà necessario ritornare. Vale la pena di aggiungere che *Il Dio Kurt* ebbe anche un'edizione francese, con traduzione e adattamento di A. Husson, Regia di Pierre Frank, Scene di Georges Wakhevitch, che fu messa in scena a Parigi, al Théâtre Michel, il 19 ottobre 1971 (Groppali 218). Al momento attuale non ne esiste però alcuna traduzione inglese. La produzione drammaturgica di Moravia si chiude infine con *La vita è gioco*, dramma in due atti che fu pubblicato nel 1969, e rappresentato nel 1970 al teatro Valle di Roma, anch'esso con la regia di Dacia Maraini. Protagonisti di questa vicenda sono i componenti di un piccolo gruppo di malviventi: i due sfruttatori Remigio e Raniero, e la loro "amichetta" Nirvana. Berengario è invece un professore improvvisato, filosofo incapace, e fratello di un ricco industriale: Casimiro. Berengario vorrebbe insegnare loro che "la realtà è gioco," ma rimane preso nella trappola preparata per gli altri. La piccola banda di delinquenti si mette d'accordo per inscenare il falso rapimento di Berengario, allo scopo di ricattare Casimiro, ma Berengario viene ucciso per sbaglio, ed in seguito tutti i partecipanti a questo gioco si uccidono l'un l'altro, e l'ultimo si suicida. Affermazione radicale di un disvalore che va oltre il pretesto della bramosia di denaro. Tradotto in spagnolo, il dramma diventò *La vita es juego*.[9]

Tutti gli studi sul teatro moraviano (pochi e riduttivi ad eccezione di quello di Groppali) non mancano di citare la dichiarazione che sulla propria opera aveva dato l'autore stesso, nell'articolo scritto sul N.5, gennaio-marzo 1967, della rivista *Nuovi Argomenti*, e precisamente "La chiacchiera a teatro." In questo scritto Moravia parte dalla formulazione che Heidegger ha dato della "chiacchiera." In essa l'uomo pone la sua inequivocabile presenza, un suo "modo inautentico di stare al mondo"; la chiacchiera non è "comunicazione, comprensione, intendimento, bensì modo di esistere o di comportarsi," ed è anche "l'indizio di una alienazione o estraneazione o incapacità di aver rapporto con quel che sia, appunto, 'chiudersi'." Per questo, il teatro della Parola dovrà divenire teatro vivo, una specie di ricerca del dibattito, di strumento didattico: "restituisce, insomma, alla parola la sua posizione privilegiata, la rende di nuovo il luogo del dramma, lo spazio nel quale tutto avviene e fuori del quale nulla può avvenire." Diviene, in altre parole, "teatro dialettico" che, mentre "permette il recupero di tutti gli aspetti del reale ivi compresi quelli culturali e storici," informa e persuade in modo altamente drammatico.[10] Il risvolto di copertina de La mascherata, evidentemente autorizzato dallo scrittore, afferma che:

> L'attuale decadenza del teatro è dovuta alla decadenza del testo, ossia della parola. La riforma naturalistica e intimista ha ucciso la parola a teatro, soltanto una resurrezione della parola, come solo luogo nel quale può avvenire il dramma,

può portare ad una resurrezione del teatro. Oggi il teatro non è troppo lontano dal cinema, nel quale la parola è ancella e la regia è tutto; ma il cinema può parlare con le immagini, il teatro soltanto con la parola (Tessari 138).

Il progetto è che il teatro venga investito da una problematica squisitamente filosofica, che sia e divenga il luogo del dibattito e del confronto fra idee e realtà. Purtroppo la critica ha voluto vedere, in questa dichiarazione, soprattutto una presa di posizione negativa, perché' una simile concezione del teatro era in quel momento fuori moda. Pandini conclude infatti che Moravia abbia voluto

togliere al suo teatro della Parola ogni forma scenografica, ogni tecnicismo esplicativo, ogni orpello esteriore, per lasciarlo nudo alla parola nuda, come sola dimensione che agisce in essa e soltanto in essa (Pandini 105).

Negli anni in cui il nuovo teatro andava, anche in Italia, in cerca dell'azione, della spettacolarità, della scenografia, rivalutando e rivendicando il ruolo centrale della figura dell'attore, Moravia riprendeva un discorso sulla centralità del testo-didascalia che aveva origini squisitamente brechtiane. Non mi pare però che la critica si sia sforzata di comprendere questo teatro per quello che è, poiché' se la mancanza di spettacolarità è un'accusa che può valere per un pezzo come L'intervista, non mi pare però che si adatti affatto al Dio Kurt, dove il dialogo filosofico è opportunamente rafforzato da una struttura spettacolare tutt'altro che insignificante. Accusare Moravia di non essere stato Grotowski mi pare per lo meno discutibile sul piano della metodologia critica.

(Elena Urgnani. Wheaton College)

Opere dell' autore:
Moravia, Alberto. *Romanzi brevi* (Milano: Bompiani, 1953).
--- *Il mondo è quello che è* (Milano: Bompiani, 1966; Contiene: "Il Mondo è quello che è" e "L'intervista").
--- *La vita è gioco* (Milano: Bompiani, 1969).
--- *Il dio Kurt* (Milano: Bompiani, 1968).
--- *Teatro* (Milano: Bompiani, 1958; Contiene: "La Mascherata" e "Beatrice Cenci").

--- "Il comunismo al potere e i problemi dell'arte," *L'uomo come fine e altri saggi* (Milano: Bompiani, 1964), 159-186.
--- *Intervista sullo scrittore scomodo* (Roma-Bari, Laterza, 1978).

NOTE

[1](Milano: Bompiani, 1968).

[2]Richard Fabrizio. "Moravia's *Il Dio Kurt*: Sophocles and the Oedipus Legend in Italy." *Italica*, 58 (1981), 256.

[3]*Ibid.*, 258

[4]Giancarlo Pandini. *Invito alla lettura di Mora*via (Milano: Mursia, 1973), 106.

[5]Roberto Tessari. *Alberto Mora*via (Firenze: Le Monnier, 1977), 142

[6]Enrico Groppali. *L'ossessione e il fantasma: il teatro di Pasolini e Moravia* (Venezia: Marsilio, 1979), 188

[7]*Ibid.*, 189.

[8]Trad. di Domingo Pruno (Buenos Aires: Editorial Huella, 1954).

[9]Traduccion de Ugo Ulive, Caracas: Editorial Tiempo Nuevo, 1971.

[10]Pandini, 105